일본어 능력시험

JLPT N4
초중급 일본어 문법 28

일본 Reboot Japan 주식회사
일본어교사커리어 자료 제공

교재에 수록된 QR코드로 무료 강의 연결
일본어 전문 강사의 자세한 설명으로 일본어 문법 완전 정복
일본어 능력 시험 준비는 물론 초중급 일본어 학습자에게도 가장 완벽한 문법 학습서

예문 반복 듣기 영상으로 바로 가기

JLPT N4 초중급 일본어 문법 28

발 행 | 2024년 07월 09일
저 자 | 최유리 (유리센 일본어)
펴낸이 | 한건희
펴낸곳 | 주식회사 부크크
출판사등록 | 2014.07.15(제2014-16호)
주 소 | 서울특별시 금천구 가산디지털1로 119 SK트윈타워 A동 305호
전 화 | 1670-8316
이메일 | info@bookk.co.kr

ISBN | 979-11-410-9245-0

www.bookk.co.kr
© JLPT N4 초중급 일본어 문법 28

차례 및 저자 소개

목차

최유리 (유리센 일본어)

일본어 전문 강사로 시원스쿨 일본어와 시원스쿨 한국어 대표 강사이며,
유튜브 채널 운영을 포함한 다양한 일본어와 한국어 교육 관련 활동을 하고 있다.

-출간 도서 및 번역서- (최신순)
1. JLPT N5 초급 일본어 문법 24
2. 한권 한달 완성 일본어 말하기 시리즈 1-3 권
3. 마구로센세의 여행 일본어 마스터
4. 일본어 말하기 첫걸음 왕초보 탈출 프로젝트 시리즈 1-3 권
5. 마구로센세의 본격 일본어 스터디 시리즈 1-3 권 (총 6 권 예정)
6. 루스 베네딕트의 국화와 칼, 인터뷰와 일러스트로 고전 쉽게 읽기
7. 콧숨요괴와 입숨요괴 (번역)
8. 기초 일본어 말하기 훈련
9. 실전 일본어 말하기 훈련
10. The 바른 일본어   -그 밖에 다수 진행 중-

강의 출판 등 비즈니스 문의
yurisen@naver.com 또는 superyurisen@gmail.com

교재 활용법

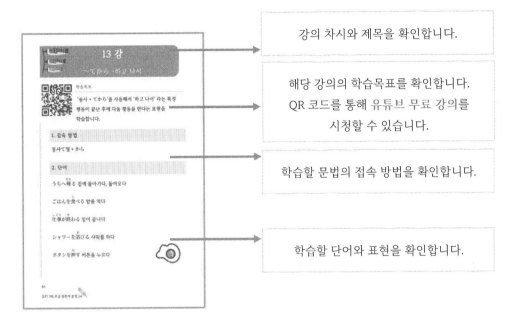

강의 차시와 제목을 확인합니다.

해당 강의의 학습목표를 확인합니다.
QR 코드를 통해 유튜브 무료 강의를
시청할 수 있습니다.

학습할 문법의 접속 방법을 확인합니다.

학습할 단어와 표현을 확인합니다.

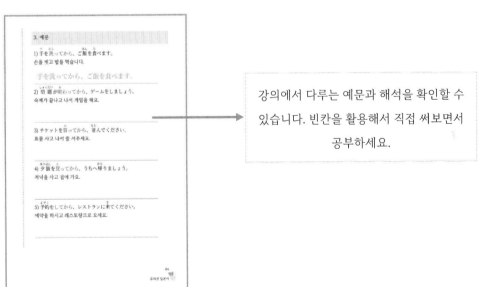

강의에서 다루는 예문과 해석을 확인할 수
있습니다. 빈칸을 활용해서 직접 써보면서
공부하세요.

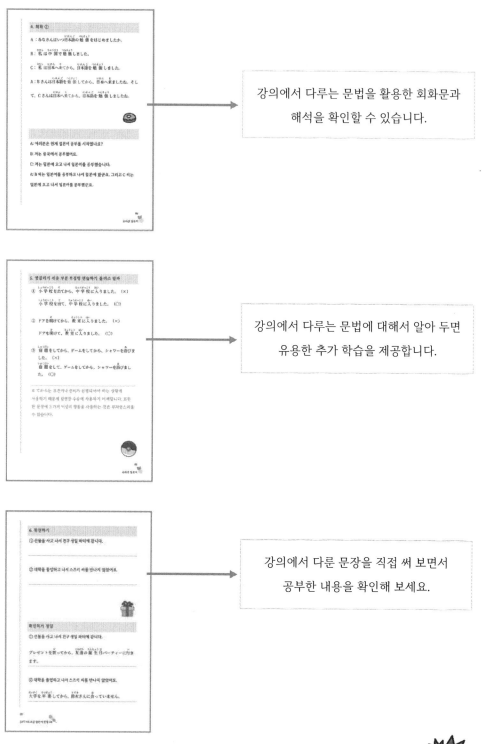

강의에서 다루는 문법을 활용한 회화문과 해석을 확인할 수 있습니다.

강의에서 다루는 문법에 대해서 알아 두면 유용한 추가 학습을 제공합니다.

강의에서 다룬 문장을 직접 써 보면서 공부한 내용을 확인해 보세요.

강의 자료 제공에 협조해 주신 Reboot Japan 주식회사 德岡 優樹님에게 감사의 뜻을 전합니다.

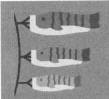

1강

～てある ~되어 있다

학습목표

てある를 사용해서 누군가가 목적을 갖고 행동한 것에 대한 결과라는 표현을 학습합니다.

1. 접속 방법

동사て형 + ある

2. 단어

<ruby>書<rt>か</rt></ruby>きます 씁니다, 적습니다   <ruby>置<rt>お</rt></ruby>きます 둡니다, 놓습니다

<ruby>貼<rt>は</rt></ruby>ります 붙입니다   <ruby>敷<rt>し</rt></ruby>きます 깝니다

<ruby>飾<rt>かざ</rt></ruby>ります 장식합니다   <ruby>用意<rt>ようい</rt></ruby>します 준비합니다

3. 예문

1) ノートに名前が書いてあります。

공책에 이름이 적혀 있어요.

ノートに名前が書いてあります。

2) 封筒に宛名が書いてありませんでした。

봉투에 수신인명이 적혀있지 않았습니다.

3) 机の上に本が置いてあります。

책상 위에 책이 놓여 있습니다.

4) 商品にシールが貼ってあります。

상품에 스티커가 붙어 있습니다.

5) 壁にカレンダーが貼ってありました。

벽에 달력이 붙어 있었어요.

6) 部屋に布団が敷いてあります。

방에 이불이 깔려 있습니다.

---

7) 部屋に花が飾ってありました。

방에 꽃이 장식되어 있었어요.

---

8) おいしい料理が用意してあります。

맛있는 음식이 준비되어 있습니다.

---

9) 温かいお茶が用意してあります。

따뜻한 차가 준비되어 있습니다.

---

10) ホテルの予約がしてありますか。

호텔 예약이 되어 있습니까?

---

4. 회화 ①

A : 机の上にノートがあります。これは誰のノートですか。

B : Cさんのノートですね。ここに名前が書いてあります。

C : ノートを買った時、名前を書きました。

A: 책상 위에 노트가 있어요. 이건 누구의 노트인가요?

B: C 씨의 노트네요. 여기에 이름이 쓰여 있어요.

C: 노트를 샀을 때, 이름을 썼어요.

회화 ②

A : 昨日、教室に何がありましたか。

B : 机の上に本が置いてありました。

C : 壁に地図が貼ってありました。

D : 黒板に今日の日付が書いてありました。

A: 어제 교실에 무엇이 있었나요?

B: 책상 위에 책이 놓여 있었어요.

C: 벽에 지도가 붙어 있었어요.

D: 칠판에 오늘의 날짜가 쓰여 있었어요.

あ

10
유리센 일본어

5. 플러스 알파

① 자동사 + ている

ドアが開いていますね。閉めましょうか。

② 타동사 + てある

暑いので、開けてあるんです。ありがとうございます。

※ 자동사 + ている는 의도가 드러나지 않은 결과에 대한
표현이고, 타동사 + てある는 의도한 행동에 대한 결과를
표현합니다.

6. 확인하기

① 방에 꽃이 장식되어 있었어요.

---

② 따뜻한 차가 준비되어 있습니다.

확인하기 정답

① 방에 꽃이 장식되어 있었어요.

<ruby>部<rt>へ</rt>屋<rt>や</rt></ruby>に<ruby>花<rt>はな</rt></ruby>が<ruby>飾<rt>かざ</rt></ruby>ってありました。

---

② 따뜻한 차가 준비되어 있습니다.

<ruby>温<rt>あたた</rt></ruby>かいお<ruby>茶<rt>ちゃ</rt></ruby>が<ruby>用意<rt>ようい</rt></ruby>してあります。

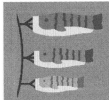

2 강

～て ~해서 (이유, 원인)

학습목표

て형 을 사용해서 이유와 원인의 표현을 학습합니다.

1. 접속 방법

동사 て형

(동사 ない형) なくて

い 형용사 어간 + くて

な 형용사 어간 + で

명사 + で

2. 단어

-동사-

見^みます 봅니다　　会^あえます 만날 수 있습니다

-형용사-

難しいです 어렵습니다　　　忙しいです 바쁩니다

うるさいです 시끄럽습니다　　　不便です 불편하다

下手です 못합니다　　　苦手です 서툽니다

-명사-

地震 지진　　　火事 화재, 불이남　　　風邪 감기

3. 예문

1) 地震のニュースを見て、びっくりしました。

지진 뉴스를 보고 깜짝 놀랐어요.

地震のニュースを見て、びっくりしました。

2) あなたに会えて、嬉しいです。

당신을 만나서 반가워요.

3) あなたに会えなくて、残念です。

당신을 만나지 못해서 아쉬워요.

4) 昨日の試験は難しくて、全然解けませんでした。

어제 시험은 어려워서 전혀 못풀었어요.

5) 忙しくて、勉強できませんでした。

바빠서 공부를 못했어요.

15

6) 交通が不便で、通学に時間がかかります。

교통이 불편하여 통학에 시간이 걸립니다.

7) 字が下手で、恥ずかしいです。

글씨를 잘 못써서 부끄럽습니다.

8) 地震でビルが倒れました。

지진으로 빌딩이 쓰러졌습니다.

9) 火事で家が焼けてしまいました。

화재로 집이 타버렸어요.

10) 風邪で学校を休みました。

감기로 학교를 쉬었어요.

4. 회화 ①

A : 昨日は 私 の 誕 生 日でした。

B : 何かもらいましたか。

A : 友達にネックレスをもらって、嬉しかったです。

A: 어제는 제 생일이었어요.

B: 뭔가 받았나요?

A: 친구로부터 목걸이를 받아서 기뻤어요.

회화 ②

A : 今日、 東 京 で地震がありましたね。

B : 地震でビルが壊れました。 怖かったです。

A : 火事もありましたね。火事で家はどうなりましたか。

B : 火事で家が焼けました。

A: 오늘 도쿄에서 지진이 있었어요.

B: 지진으로 인해서 빌딩이 무너졌어요. 무서웠어요.

A: 화재도 있었죠. 화재로 집이 어떻게 되었나요?

B: 화재로 집이 불탔어요.

5. 헷갈리기 쉬운 부분

① 暑くて、寝ません → 暑くて、眠れません

② うるさくて、集中しません → うるさくて、集中できません

③ 小さくて、見ません → 小さくて、見えません

④ 重くて、持ちません → 重くて、持てません

※ 이유와 원인을 나타내는 て형 뒤에는 본인의 의지와
상관없이 상태가 되었다는 것을 의미합니다. 의지의 표현이
이어지면 부자연스러울 수 있습니다.

6. 확인하기

① 당신을 만나서 반가워요.

_____

② 감기로 학교를 쉬었어요.

_____

확인하기 정답

① 당신을 만나서 반가워요.

あなたに<ruby>会<rt>あ</rt></ruby>えて、<ruby>嬉<rt>うれ</rt></ruby>しいです。
_____

② 감기로 학교를 쉬었어요.

<ruby>風邪<rt>か ぜ</rt></ruby>で<ruby>学校<rt>がっこう</rt></ruby>を<ruby>休<rt>やす</rt></ruby>みました。
_____

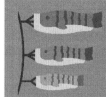

3강

～つもりだ ~할 생각이다

학습목표

つもりだ 를 사용해서 화자의 의지를 나타내는
표현을 학습합니다.

1. 접속 방법

동사 + つもりだ

동사 ない형 + つもりだ

2. 단어

行_いきます 갑니다　　やめます 그만둡니다

続_{つづ}けます 계속합니다　　勉強_{べんきょう}します 공부합니다

帰国_{きこく}します 귀국합니다

3. 예문

1) 夏休みはハワイへ旅行に行くつもりです。

여름방학에는 하와이로 여행을 갈 생각입니다.

夏休みはハワイへ旅行に行くつもりです。

2) 冬休みは故郷へ帰らないつもりです。

겨울방학에는 고향에 돌아가지 않을 생각입니다.

3) 私は来月アルバイトをやめるつもりです。

저는 다음 달 아르바이트를 그만둘 생각입니다.

4) お金を貯めて車を買うつもりです。

돈을 모아서 차를 살 생각입니다.

5) クリスマスには友達にプレゼントをあげるつもりです。

크리스마스에는 친구에게 선물을 줄 거예요.

6) 私 は卒業後も日本語の勉強を続けるつもりです。

저는 졸업 후에도 일본어 공부를 계속할 생각입니다.

---

7) 週末は家で勉強するつもりです。

주말에는 집에서 공부할 생각입니다.

---

8) 大学を卒業した後、就職しないつもりです。

대학을 졸업한 후 취직하지 않을 생각입니다.

---

9) 大学を卒業したら、帰国するつもりです。

대학을 졸업하면 귀국할 생각입니다.

---

10) 日本語を勉強するために、日本へ留学するつもりです。

일본어를 공부하기 위해 일본으로 유학을 갈 생각입니다.

---

4. 회화 ①

A：もうすぐ夏休みです。Bさんは夏休みは何をしますか。

B： 私は夏休みに帰国するつもりです。

A：Cさんは夏休みに何をしますか。Cさんも帰国するつもり

ですか。

C： 私は帰国しないんです。

A：Cさんは帰国しないつもりですね。

A: 이제 곧 여름방학이네요. B 씨는 여름방학은 무엇을 할 건가요?

B: 저는 여름방학에 귀국할 생각이에요.

A: C 씨는 여름방학에 무엇을 할 건가요? C 씨도 귀국할

생각인가요?

C: 저는 귀국하지 않을 거예요.

A: C 씨는 귀국하지 않을 생각이군요.

A：Bさんは、卒業後は大学に進学するつもりですか。

B：はい、私は大学に進学するつもりです。

A：Cさんも、大学に進学するつもりですか。

C：いいえ、大学に進学しないつもりです。

A：そうですか。Cさんは、卒業後はどうするつもりですか。

C：私は日本で働くつもりです。

A: B 씨는 졸업후에는 대학에 진학할 생각인가요?

B: 네, 저는 대학에 진학할 생각이에요.

A: C 씨도 대학에 진학할 생각인가요?

C: 아니오, 대학에 진학하지 않을 거예요.

A: 그런가요. C 씨는 졸업후에는 어떻게 할 생각인가요?

C: 저는 일본에서 일을 할 거예요.

5. 플러스 알파

「〜予定(よてい)だ」 vs 「〜つもりだ」

① 行(い)く予定(よてい)だ vs 行(い)くつもりだ

② 帰国(きこく)予定(よてい)だ vs 帰国(きこく)するつもりだ

※ 〜つもりだ 는 화자의 의지를 나타내고, 〜予定(よてい)
だ 는 이미 결정되어 있는 사실을 전달할 때 사용하는
표현입니다.

6. 확인하기

① 돈을 모아서 차를 살 생각입니다.

---

② 일본어를 공부하기 위해 일본으로 유학을 갈 생각입니다.

확인하기 정답

① 돈을 모아서 차를 살 생각입니다.

お金を貯めて 車 を買うつもりです。

---

② 일본어를 공부하기 위해 일본으로 유학을 갈 생각입니다.

日本語を 勉 強 するために、日本へ 留 学 するつもりです。

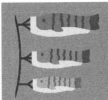

4강

~って ~라는

학습목표

って 를 사용해서 '라는'이라는 명칭을 말하는

회화적인 표현을 학습합니다.

1. 접속 방법

명사₁ + って + 명사₂

2. 단어

画家 화가　　　作家 작가　　　小説 소설
（がか）　　　（さっか）　　　（しょうせつ）

お好み焼き 오코노미야끼　　　漫画 만화
（このやき）　　　（まんが）

タピオカミルクティー 버블 밀크티

3. 예문

1) さっき山田さんって人が来たよ。

아까 야마다씨라는 사람이 왔어.

さっき山田さんって人が来たよ。

2) 佐藤さんって 女 の人から電話があったよ。

사토씨라는 여자로부터 전화가 왔어.

3) 小林先生って先生に日本語を習ったんだ。

고바야시 선생님이라는 선생님께 일본어를 배웠어.

4) ルノワールって画家、知ってる？

'르누아르'라는 화가 알아?

5) 太宰 治 って作家が書いた 小 説を読んだけど、とても 難 しかった。

'다자이 오사무'라는 작가가 쓴 소설을 읽었는데 너무 어려웠어.

6) これはお好み焼きって食べ物だよ。

이건 '오코노미야키'라는 음식이야.

---

7) タピオカミルクティーって飲み物、飲んだことある？

'버블 밀크티' 라는 음료 마셔봤어?

---

8) これは人生ゲームってゲームだよ。

이건 '인생게임'이란 게임이야.

---

9) 鬼滅の刃って漫画が人気らしいね。

'귀멸의 칼날'이라는 만화가 인기가 많다더군.

---

10) プリキュアってアニメ、見たことある？

'프리큐어'라는 애니메이션 본 적 있어?

---

4. 회화

A：タピオカミルクティーって飲み物、飲んだことある？

B：タピオカミルクティーって、何？

A：タピオカが入っているミルクティーだよ。今とても流行っているんだよ。

B：タピオカって、何？

A：キャッサバって芋から作ったゼリーだよ。もちもちして、おいしいよ。今度一緒に飲みに行こう。

B：いいね。

A: 버블 밀크티라는 음료, 마셔본 적 있어?

B: 버블 밀크티라는 게 뭐야?

A: 타피오카가 들어있는 밀크티야. 요즘 엄청 유행하고 있어.

B: 타피오카라는 게 뭐야?

A: 카사바라는 고구마로 만든 젤리야. 쫀득쫀득해서 맛있어. 다음에 같이 마시러 가자.

B: 좋아!

5. 플러스 알파

「〜って」 vs 「〜という」

③ タピオカミルクティーって飲^のみ物^{もの}、飲^のんだことあるんですか。

④ タピオカミルクティーという飲^のみ物^{もの}を飲^のんだことがありますか。

※ 〜っては 회화체로 사용하며 문어체는 〜という 를 사용합니다.

6. 확인하기

① 고바야시 선생님이라는 선생님께 일본어를 배웠어.

---

② 이건 '오코노미야키'라는 음식이야.

확인하기 정답

① 고바야시 선생님이라는 선생님께 일본어를 배웠어.

<ruby>小林先生<rt>こばやしせんせい</rt></ruby>って<ruby>先生<rt>せんせい</rt></ruby>に<ruby>日本語<rt>にほんご</rt></ruby>を<ruby>習<rt>なら</rt></ruby>ったんだ。

こばやしせんせい　　　せんせい　にほんご　なら
小林先生って先生に日本語を習ったんだ。

---

② 이건 '오코노미야키'라는 음식이야.

こ　　や　　　た　もの
これはお好み焼きって食べ物だよ。

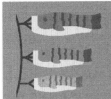

5강

～続ける 계속 ~하다

학습목표

続ける를 사용해서 동작이나 습관을 계속해서
이어간다는 표현을 학습합니다.

1. 접속 방법

동사ます형 + 続ける

2. 단어

はし
走ります 달립니다

す
住みます 거주합니다, 삽니다

はな
話します 이야기합니다

やります 합니다

つか
使います 사용합니다

べんきょう
勉強します 공부합니다

3. 예문

1) 途中で足が痛くなったが、最後まであきらめずに走り続け
た。

도중에 다리가 아팠지만 끝까지 포기하지 않고 계속 달렸어.

途中で足が痛くなったが、最後まであきらめずに走り続けた。

---

2) 私は大学卒業後も日本に住み続けるつもりです。
저는 대학 졸업 후에도 일본에서 계속 살 생각입니다.

---

3) この会社は働きやすいので、ずっと働き続けたい。
이 회사는 일하기 좋아서 계속 일하고 싶어.

---

4) 昨日は友達と電話で2時間も話し続けた。
어제는 친구와 전화로 2시간이나 계속 이야기했어.

---

5) 3時間も待ち続けたが、結局彼女は来なかった。
3시간이나 기다렸지만 결국 그녀는 오지 않았어.

---

6) 結果が出るまでやり続けることが大切です。

결과가 나올 때까지 계속하는 것이 중요합니다.

---

7) 友達は昨日からずっと怒り続けている。

친구는 어제부터 계속 화를 내고 있어.

---

8) このパソコンは10年以上も使い続けています。

이 컴퓨터는 10년 넘게 계속 사용하고 있습니다.

---

9) 帰国しても、日本語を勉強し続けるつもりです。

귀국해서도 일본어를 계속 공부할 생각입니다.

---

10) 努力し続ければ、きっと合格するはずです。

계속 노력한다면 반드시 합격할 것입니다.

---

4. 회화

A : 卒業後はどうしますか。

B : 卒業後は、ベトナムに帰ります。

A : そうですか。寂しいですね。

B : でも、日本語の勉強は続けます。

A : そうですか。ベトナムに帰っても、一生懸命日本語を

勉強し続けてください。

A: 졸업후에는 어떻게 할 건가요?

B: 졸업후에는 베트남에 돌아갈 거예요.

A: 그래요? 허전해지겠네요.

B: 하지만, 일본어 공부는 계속할 거예요.

A: 그래요? 베트남에 돌아가도 열심히 일본어 공부를 계속하세요.

5. 접속 연습하기

① 走る → 走ります → 走り続ける
はし　　　　はし　　　　　　　はし　つづ

② 住む → 住みます → 住み続ける
す　　　　す　　　　　　　す　つづ

③ 話す → 話します → 話し続ける
はな　　　　はな　　　　　　　はな　つづ

④ 勉強する → 勉強します → 勉強し続ける
べんきょう　　　　べんきょう　　　　　べんきょう　つづ

6. 확인하기

① 이 회사는 일하기 좋아서 계속 일하고 싶어.

_____

② 이 컴퓨터는 10 년 넘게 계속 사용하고 있습니다.

_____

확인하기 정답

① 이 회사는 일하기 좋아서 계속 일하고 싶어.

この会社は 働きやすいので、ずっと 働き続けたい。

_____

② 이 컴퓨터는 10 년 넘게 계속 사용하고 있습니다.

このパソコンは10年以上も使い続けています。

_____

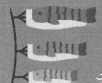

6강

させてください ~하게 해주세요

학습목표

させてください를 사용해서 상대에게 정중하게
허락을 구하는 표현을 학습합니다.

1. 접속 방법

동사사역형 て형 + ください

2. 단어

行きます 갑니다　　　　帰ります 돌아갑니다, 돌아옵니다

撮ります 촬영합니다　　　作ります 만듭니다

寝ます 잡니다　　　置きます 둡니다

休みます 쉽니다　　　使います 사용합니다

読みます 읽습니다　　　やらせます 시킵니다

3. 예문

1) 来週の大阪出張は、私に行かせてください。

다음주 오사카 출장은 제가 가게 해주세요.

来週の大阪出張は、私に行かせてください。

2) 体調が悪いので、今日はもう帰らせてください。

몸이 안 좋으니 오늘은 그만 돌아가게 해주세요. (퇴근을 허락해
주세요)

3) 可愛い犬ですね。写真を撮らせてください。

귀여운 강아지네요. 사진을 찍게 해주세요.

4) 今度のパーティーでは、私にケーキを作らせてください。

이번 파티에서는 제가 케이크를 만들게 해주세요.

5) 今日は休みです。もう少し寝かせてください。

오늘은 휴일입니다. 좀 더 자게 해주세요.

6) トイレに行く 間 、ここに荷物を置かせてください。

화장실에 가는 동안 여기에 짐을 두게 해주세요.

7) 熱がありますから、今日は会社を休ませてください。

열이 있으니 오늘은 회사를 쉬게 해주세요.

8) 会議の資料の準備をしています。先にコピー機を使わせて
ください。

회의 자료 준비하고 있어요. 복사기 먼저 쓰게 해주세요.

9) 私 にもその雑誌を読ませてください。

저도 그 잡지를 읽게 해주세요.

10) 明日の 交 流 会 の司会はわたしにやらせてください。

내일 교류회의 사회는 제가 하게 해주세요.

4. 회화

(会社で体調が悪い)
<ruby>会社<rt>かいしゃ</rt></ruby>で<ruby>体調<rt>たいちょう</rt></ruby>が<ruby>悪<rt>わる</rt></ruby>い

A : どうしたの。

B : <ruby>朝<rt>あさ</rt></ruby>から<ruby>体<rt>からだ</rt></ruby>の<ruby>調子<rt>ちょうし</rt></ruby>が<ruby>悪<rt>わる</rt></ruby>いです。

A : <ruby>病院<rt>びょういん</rt></ruby>に<ruby>行<rt>い</rt></ruby>った<ruby>方<rt>ほう</rt></ruby>がいいよ。

B : <ruby>今日<rt>きょう</rt></ruby>、<ruby>早<rt>はや</rt></ruby>めに<ruby>帰<rt>かえ</rt></ruby>らせてください。

A : いいよ、お<ruby>大事<rt>だいじ</rt></ruby>に。

(회사에서 몸상태가 좋지 않다)

A: 무슨 일이야?

B: 아침부터 몸이 좋지 않아요.

A: 병원에 가보는 게 좋을텐데.

B: 오늘은 빨리 퇴근하게 해주세요.

A: 그렇게 해. 몸 관리 잘하고.

5. 연습하기

① 書_かきます→書_かかせる→書_かかせて→書_かかせてください

② 作_{つく}ります→作_{つく}らせる→作_{つく}らせて→作_{つく}らせてください

③ 読_よみます→読_よませる→読_よませて→読_よませてください

④ します→させる→させて→させてください

⑤ きます→こさせる→こさせて→こさせてください

6. 확인하기

① 오늘은 휴일입니다. 좀 더 자게 해주세요.

_____

② 화장실에 가는 동안 여기에 짐을 두게 해주세요.

_____

확인하기 정답

① 오늘은 휴일입니다. 좀 더 자게 해주세요.

<ruby>今日<rt>きょう</rt></ruby>は<ruby>休<rt>やす</rt></ruby>みです。もう<ruby>少<rt>すこ</rt></ruby>し<ruby>寝<rt>ね</rt></ruby>かせてください。

_____

② 화장실에 가는 동안 여기에 짐을 두게 해주세요.

トイレに<ruby>行<rt>い</rt></ruby>く<ruby>間<rt>あいだ</rt></ruby>、ここに<ruby>荷物<rt>にもつ</rt></ruby>を<ruby>置<rt>お</rt></ruby>かせてください。

_____

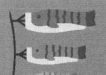

7 강

～し～し -하고, ~해서 (누적, 열거)

학습목표

~し～し를 사용해서 누적과 열거의 표현을
학습합니다.

1. 접속 방법

동사 (보통형) ＋し

형용사 (보통형) ＋し

명사だ＋し

2. 단어

かわいい 귀엽다　　　おいしい 맛있다　　<ruby>安<rt>やす</rt></ruby>い 저렴하다

<ruby>遠<rt>とお</rt></ruby>い 멀다　　　おもしろい 재미있다　　<ruby>親切<rt>しんせつ</rt></ruby>だ 친절하다

ハンサムだ 핸섬하다　　　きれいだ 예쁘다, 깨끗하다

にぎやかだ 번화하다, 북적거리다　　<ruby>静<rt>しず</rt></ruby>かだ 조용하다

3. 예문

1) カレンさんはかわいいし、親切(しんせつ)だし、料理(りょうり)も上手(じょうず)です。

카렌씨는 귀엽고 친절하며 요리도 잘합니다..

カレンさんはかわいいし、親切だし、料理も上手です。

---

2) 田中(たなか)さんはハンサムだし、背(せ)が高(たか)いし、おもしろいです。

다나카 씨는 잘생기고, 키가 크고, 재미있습니다.

---

3) この店(みせ)は安(やす)いし、近(ちか)いし、それにおいしいです。

이 가게는 싸고 가깝고 게다가 맛있어요.

---

4) 日本(にほん)はきれいだし、静(しず)かだし、食(た)べ物(もの)もおいしいです。

일본은 깨끗하고 조용하며 음식도 맛있습니다.

---

5) この家(いえ)は狭(せま)いし、古(ふる)いし、それに駅(えき)から遠(とお)いです。

이 집은 좁고, 오래되고, 게다가 역에서 멀어요.

---

6) 昨日は 忙 しかったし、雨だったし、どこへも行かなかった。

어제는 바빴고, 비가 와서, 아무데도 가지 않았어.

---

7) この 宿 題は漢字が多いし、 難 しいし、やりたくない。

이 숙제는 한자가 많고 어려워서 하기 싫어.

---

8) このカフェは安いし、おいしいし、よく来ます。

이 카페는 싸고 맛있어서 자주 와요.

---

9) 電車は安いし、速いし、便利です。

전철은 저렴하고 빨라서 편리합니다.

---

10) きれいだし、駅から近いし、このアパートが好きです。

깨끗하고 역에서 가까워서 이 아파트가 좋아요.

---

4. 회화 ①

A : 日本はどんな国ですか。

B : 食べ物がおいしい国です。

C : 静かな国です。それからきれいです。

A : 日本は食べ物がおいしいし、きれいだし、静かですね。

A: 일본은 어떤 나라인가요?

B: 음식이 맛있는 나라예요.

C: 조용한 나라예요. 그리고 깨끗해요.

A: 일본은 음식이 맛있기도 하고, 깨끗하고, 조용하네요.

회화 ②

A : みなさん、日本料理が好きですか。

B : はい、好きです。

A : どうして日本料理が好きですか。

B : おいしいです。それに、体にいいですから。

A : なるほど。おいしいし、体にいいし、日本料理が好きで

すね。

A: 여러분, 일본음식을 좋아하나요?

B: 네, 좋아해요.

A: 왜 일본음식을 좋아하나요?

B: 맛있어요. 게다가 몸에 좋기때문이에요.

A: 그렇군요. 맛있기도 하고, 몸에 좋기도 해서 일본음식을

좋아하는군요.

5. 플러스 알파

「～て、～て」vs「～し、～し～」

① 彼は優しくて、面白くて、ハンサムだ。

② 彼は優しいし、面白いし、ハンサムだ。

※ て형을 사용한 열거는 각 사안이 대등한 관계이며, し를 사용한 열거는 사안이 추가되는 뉘앙스를 나타냅니다.

6. 확인하기

① 이 집은 좁고, 오래되고, 게다가 역에서 멀어요.

---

② 이 카페는 싸고 맛있어서 자주 와요.

확인하기 정답

① 이 집은 좁고, 오래되고, 게다가 역에서 멀어요.

この家は狭いし、古いし、それに駅から遠いです。

---

② 이 카페는 싸고 맛있어서 자주 와요.

このカフェは安いし、おいしいし、よく来ます。

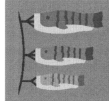

8강

형용사 + する ~하게 하다

학습목표

형용사 + する를 사용해서 '~하게 하다'라는 상태의
변화 표현을 학습합니다.

1. 접속 방법

이형용사 어간 く + する

나형용사 어간 に + する

2. 단어

大^{おお}きい 크다   難^{むずか}しい 어렵다   冷^{つめ}たい 차갑다

安^{やす}い 저렴하다   甘^{あま}い 달다

きれいだ 예쁘다, 깨끗하다   簡単^{かんたん}だ 간단하다, 쉽다

静^{しず}かだ 조용하다   有名^{ゆうめい}だ 유명하다

元気^{げんき}だ 건강하다, 활기차다

3. 예문

1) テレビの<ruby>音<rt>おと</rt></ruby>が<ruby>小<rt>ちい</rt></ruby>さいです。もっと<ruby>大<rt>おお</rt></ruby>きくしてください。

텔레비전 소리가 작아요.더 크게 해주세요.

テレビの音が小さいです。もっと大きくしてください。

---

2) このクイズは<ruby>簡単<rt>かんたん</rt></ruby>です。<ruby>難<rt>むずか</rt></ruby>しくしましょう。

이 퀴즈는 쉽습니다. 어렵게 합시다.

---

3) <ruby>冷蔵庫<rt>れいぞうこ</rt></ruby>でビールを<ruby>冷<rt>つめ</rt></ruby>たくする。

냉장고에서 맥주를 차갑게 한다.

---

4) このコップを<ruby>二<rt>ふた</rt></ruby>つ<ruby>買<rt>か</rt></ruby>うなら、<ruby>安<rt>やす</rt></ruby>くしますよ。

이 컵을 두 개 산다면 싸게 드릴게요.

---

5) コーヒーには<ruby>砂糖<rt>さとう</rt></ruby>をたくさん<ruby>入<rt>い</rt></ruby>れて、<ruby>甘<rt>あま</rt></ruby>くします。

커피에는 설탕을 많이 넣어서 달게 해요.

---

6) 彼女が来るので、部屋をきれいにしました。

그녀가 오기 때문에 방을 깨끗하게 정리했어요.

---

7) 今日のテストは 難 しかったです。次は簡単にして
ください。

오늘 시험은 어려웠어요. 다음에은 쉽게 해주세요.

---

8) ここは図書館ですから、静かにしてください。

여기는 도서관이니까 조용히 해주세요.

---

9) この 曲 は彼女を有名にしました。

이 곡은 그녀를 유명하게 만들었어요.

---

10) 母の料理はいつも 私 を元気にします。

어머니의 요리는 항상 저를 기운 나게 합니다.

---

4. 회화

A : コーヒー、いかがですか？

B : ありがとうございます。 私
は冷たいコーヒーが好きです。

氷
を入れて、冷たくしてください。

A : わかりました。 氷
を入れますね。

C : 私
は甘いコーヒーが好きです。砂糖を入れて、甘くして

ください。

A : わかりました。砂糖を入れますね。

A: 커피 어떠세요?

B: 고마워요. 저는 시원한 커피를 좋아해요. 얼음을 넣어서

시원하게 만들어 주세요.

A: 알겠습니다. 얼을 넣을게요.

C: 저는 달달한 커피를 좋아해요. 설탕을 넣어서 달달하게 만들어

주세요.

A: 알겠습니다. 설탕을 넣을게요.

5. 연습하기

① 熱<small>あつ</small>い→熱<small>あつ</small>くする

② 小<small>ちい</small>さい→小<small>ちい</small>さくする

③ きれいな→きれいにする

④ 静<small>しず</small>かな→静<small>しず</small>かにする

6. 확인하기

① 이 컵을 두 개 산다면 싸게 드릴게요.

___

② 이 곡은 그녀를 유명하게 만들었어요.

___

확인하기 정답

① 이 컵을 두 개 산다면 싸게 드릴게요.

このコップを<ruby>二<rt>ふた</rt></ruby>つ<ruby>買<rt>か</rt></ruby>うなら、<ruby>安<rt>やす</rt></ruby>くしますよ。

___

② 이 곡은 그녀를 유명하게 만들었어요.

この<ruby>曲<rt>きょく</rt></ruby>は<ruby>彼女<rt>かのじょ</rt></ruby>を<ruby>有名<rt>ゆうめい</rt></ruby>にしました。

___

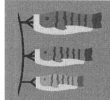

9강

〜すぎる 지나치게 ~하다

학습목표

すぎる 를 사용해서 정도가 일정 수준을 벗어나 심한 상태라는 표현을 학습합니다.

1. 접속 방법

동사ます형 + すぎる

이형용사 어간 + すぎる

나형용사 어간 + すぎる

2. 단어

_た
食べます 먹습니다　　　_の飲みます 마십니다

_よ
読みます 읽습니다　　　_み見ます 봅니다

_{べんきょう}
勉強します 공부합니다

_{いそが}
忙しい 바쁘다　　　_{たか}高い 비싸다, 높다

_{おお}
大きい 크다　　　_{ちい}小さい 작다　　　_{むずか}難しい 어렵다

3. 예문

1) 晩ご飯を食べすぎたから、お腹が痛いです。

저녁을 너무 많이 먹어서 배가 아파요.

晩ご飯を食べすぎたから、お腹が痛いです。

2) 昨日はお酒を飲みすぎました。

어제는 술을 너무 많이 마셨어요.

3) 漫画を読みすぎたから、遅く寝ました。

만화책을 너무 많이 읽어서 늦게 잤어요.

4) テレビを見すぎると、目が悪くなります。

텔레비전을 너무 많이 보면 눈이 나빠져요.

5) 勉強しすぎたので疲れました。

공부를 너무 많이 해서 피곤해요.

6) 昨日は 忙 しすぎたので早く寝ました。

어제는 너무 바빴어서 일찍 잤어요.

---

7) このかばんは高すぎますから、買いません。

이 가방은 너무 비싸서 사지 않겠어요.

---

8) この服は 私 には大きすぎました。

이 옷은 저에게는 너무 컸어요.

---

9) 彼の字は小さすぎて見えません。

그의 글씨는 너무 작아서 보이지 않아요.

---

10) この漢字は 難 しすぎる。

이 한자는 너무 어려워.

---

4. 회화

A : この漢字は、何ですか。

B : 小さすぎて見えません。

A : 大きく書きますね。見えますか。この漢字は、何ですか。

B : その漢字は 難 しすぎます。わかりません。

A: 이 한자는 무엇인가요?

B: 너무 작아서 안 보여요.

A: 크게 쓸게요. 보이나요? 이 한자는 무엇인가요?

B: 그 한자는 너무 어려워요. 모르겠어요.

5. 헷갈리기 쉬운 부분

① このケーキは甘_{あま}すぎておいしいです。✕

② このかばんは大_{おお}きすぎるので便利_{べんり}です。✕

③ 昨日_{きのう}は歌_{うた}いすぎたから楽_{たの}しかったです。✕

※ すぎる를 사용하는 문장은 정도를 지나친 부정적인 의미를
담고 있으므로 긍정적인 의미에 사용하기에는 부자연스러울
수 있습니다.

6. 확인하기

① 텔레비전을 너무 많이 보면 눈이 나빠져요.

② 이 옷은 저에게는 너무 컸어요.

확인하기 정답

① 텔레비전을 너무 많이 보면 눈이 나빠져요.

テレビを見すぎると、目が悪くなります。

② 이 옷은 저에게는 너무 컸어요.

この服は私には大きすぎました。

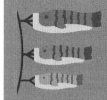

10 강
～しか～ない ~밖에 ~없다

～しか～ない를 사용해서 수량이나 정도가 낮은 것에
대해서 화자의 아쉬움이나 불만을 담은 표현을
학습합니다.

1. 접속 방법

명사 + しか

2. 단어

話^{はな}します 이야기합니다   あります 있습니다

食^たべます 먹습니다   勉強^{べんきょう}します 공부합니다

働^{はたら}きます 일합니다   わかります 압니다

書^かきます 씁니다, 적습니다   知^しります 압니다

います 있습니다

3. 예문

1) 父は英語しか話しません。
<ruby>父<rt>ちち</rt></ruby>は<ruby>英語<rt>えいご</rt></ruby>しか<ruby>話<rt>はな</rt></ruby>しません。

아버지는 영어로밖에 이야기하지 않습니다. (영어밖에 할 줄 몰라요)

父は英語しか話しません。

2) 今財布に 500円しかありません。
<ruby>今財布<rt>いまさいふ</rt></ruby>に 500<ruby>円<rt>えん</rt></ruby>しかありません。

지금 지갑에 500 엔밖에 없어요.

3) ダイエットをしていますから、今日はサラダしか食べませんでした。

다이어트를 하고 있어서 오늘은 샐러드밖에 먹지 않았어요.

4) 彼はいつも肉しか食べない。

그는 항상 고기밖에 먹지 않아.

5) もうすぐテストなのに、今日は 1時間しか勉強しなかった。

곧 시험인데 오늘은 1 시간밖에 공부하지 않았어.

6) 勉強が忙しいですから、土曜日と日曜日しか働きません。

공부가 바쁘기 때문에 토요일과 일요일 밖에 일하지 않습니다.

---

7) 漢字テストは 3 問しかわからなかった。

한자 테스트는 3 문제밖에 몰랐어.

---

8) はじめは、ひらがなしか書けませんでした。

처음에는 히라가나밖에 쓸 수 없었습니다.

---

9) この話はメアリーさんしか知らない。

이 이야기는 메리 씨밖에 몰라.

---

10) 日曜日、家には僕しかいなかった。

일요일에 집에는 나밖에 없었어.

---

4. 회화

A : 財布にいくら入っていますか。

B : 200円しかありません。

A : 200円で何を買いますか。

B : ジュースしか買えません。

A: 지갑에 얼마가 들어 있나요?

B: 200 엔 밖에 없어요.

A: 200 엔으로 무엇을 살 건가요?

B: 주스밖에 못 사요.

5. 플러스 알파

① 今日は4時間しか寝ました。×
② 今日は4時間しか寝ませんでした。○

※ しか는 부정문에 사용하는 것이 자연스럽습니다.

6. 확인하기

① 그는 항상 고기밖에 먹지 않아.

---

② 처음에는 히라가나밖에 쓸 수 없었습니다.

확인하기 정답

① 그는 항상 고기밖에 먹지 않아.

彼はいつも肉しか食べない。

---

② 처음에는 히라가나밖에 쓸 수 없었습니다.

はじめは、ひらがなしか書けませんでした。

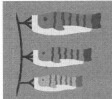

11강

～ために ~위해서(목적)

학습목표

　～ために를 사용해서 행위의 목적을 나타내는

표현을 학습합니다.

1. 접속 방법

동사 + ために

명사の + ために

2. 단어

<ruby>勉強<rt>べんきょう</rt></ruby>します 공부합니다　　　<ruby>覚<rt>おぼ</rt></ruby>えます 기억합니다, 외웁니다

<ruby>起<rt>お</rt></ruby>きます 일어납니다　　　<ruby>話<rt>はな</rt></ruby>します 이야기합니다

<ruby>作<rt>つく</rt></ruby>ります 만듭니다　　　<ruby>留学<rt>りゅうがく</rt></ruby> 유학

<ruby>就職<rt>しゅうしょく</rt></ruby> 취직, 취업　　　<ruby>進学<rt>しんがく</rt></ruby> 진학

3. 예문

1) 今晩の夕食を作るために、スーパーへ買い物に行く。

오늘 저녁 식사를 만들기 위해 슈퍼에 장보러 가.

今晩の夕食を作るために、スーパーへ買い物に行く。

2) 体重を減らすために、毎朝ウォーキングをしている。

체중을 줄이기 위해 매일 아침 걷기 운동을 하고 있어.

3) アメリカに留学するために、アルバイトをしてお金を貯めている。

미국에 유학가기 위해서 아르바이트를 해서 돈을 모으고 있어.

4) 朝早く起きるために、夜は１１時までに寝るようにしている。

아침 일찍 일어나기 위해서 밤에는 11시까지 자도록 하고 있다.

5) 来月結婚する友人のために、プレゼントを探している。

다음 달에 결혼할 친구를 위해 선물을 찾고 있어.

6) パティシエになるために、来月から料理学校に通うことに
した。
<ruby>来月<rt>らいげつ</rt></ruby> <ruby>料理学校<rt>りょうりがっこう</rt></ruby> <ruby>通<rt>かよ</rt></ruby>
파티쉐가 되기 위해서 다음달부터 요리학교에 다니기로 했어.

7) 明日が誕生日の娘のために、ケーキを作った。
<ruby>明日<rt>あした</rt></ruby> <ruby>誕生日<rt>たんじょうび</rt></ruby> <ruby>娘<rt>むすめ</rt></ruby> <ruby>作<rt>つく</rt></ruby>
내일이 생일인 딸을 위해 케이크를 만들었어.

8) 健康のために、食べすぎないよう気をつけている。
<ruby>健康<rt>けんこう</rt></ruby> <ruby>食<rt>た</rt></ruby> <ruby>気<rt>き</rt></ruby>
건강을 위해서 과식하지 않도록 조심하고 있어.

9) 漢字を覚えるために、本や新聞を読んでいる。
<ruby>漢字<rt>かんじ</rt></ruby> <ruby>覚<rt>おぼ</rt></ruby> <ruby>本<rt>ほん</rt></ruby> <ruby>新聞<rt>しんぶん</rt></ruby> <ruby>読<rt>よ</rt></ruby>
한자를 외우기 위해 책이나 신문을 읽고 있어.

10) 自然な日本語を話すために、日本のアニメをたくさん見て
いる。
<ruby>自然<rt>しぜん</rt></ruby> <ruby>日本語<rt>にほんご</rt></ruby> <ruby>話<rt>はな</rt></ruby> <ruby>日本<rt>にほん</rt></ruby> <ruby>見<rt>み</rt></ruby>
자연스러운 일본어를 말하기 위해 일본 애니메이션을 많이 보고
있어.

4. 会話 ①　・

（ランニングをしている人の写真）

A：見てください。この人は何をしていますか？

B：走っています。

A：そうですね、この人は走っています。この人は健康のために、毎朝走っています。みなさんは、健康のために何かしていますか？

B：健康のために、たくさん歩いています。

C：健康のために、たくさん野菜を食べています。

D：健康のために、ジュースを飲みません。お茶を飲みます。

（달리기를 하고 있는 사람의 사진）

A: 보세요. 이 사람은 무엇을 하고 있나요?

B: 달리고 있어요.

A: 그렇죠, 이 사람은 달리고 있어요. 이 사람은 건강을 위해서 매일 아침 달리고 있어요. 여러분은 건강을 위해서 무엇을 하고 있나요?

B: 건강을 위해서 많이 걷고 있어요.

C: 건강을 위해서 채소를 많이 먹고 있어요.

D: 건강을 위해서 주스를 안 마셔요. 차를 마셔요.

회화 ②

A：明日のＣさんの誕生日パーティ、楽しみですね。

Ｃさん、喜んでくれるといいなぁ。

B：そうですね。

A：飲み物は、ビールとワインでいいですか？

B：お酒が飲めない人もいますよね。お酒が飲めない人のため

に、お茶もたくさん用意しましょう。

A: 내일 C 씨의 생일파티, 기대되네요. C 씨가 기뻐하면 좋겠다.

B: 그죠.

A: 마실 건 맥주랑 와인이면 될까요?

B: 술을 못 마시는 사람도 있죠. 술을 못 마시는 사람을 위해서 차도

많이 준비합시다.

5. 헷갈리기 쉬운 부분

① 日本語を勉強するように、日本に行きたい。✕

② 日本語を勉強するために、日本に行きたい。○

※ '동사 + ように'는 무의지의 행동에 결합하고 '동사 + ために'는 의지동사에 결합합니다.

6. 확인하기

① 체중을 줄이기 위해 매일 아침 걷기 운동을 하고 있어.

_____

② 내일이 생일인 딸을 위해 케이크를 만들었어.

_____

확인하기 정답

① 체중을 줄이기 위해 매일 아침 걷기 운동을 하고 있어.

<ruby>体<rt>たいじゅう</rt></ruby>重を<ruby>減<rt>へ</rt></ruby>らすために、<ruby>毎朝<rt>まいあさ</rt></ruby>ウォーキングをしている。

② 내일이 생일인 딸을 위해 케이크를 만들었어.

<ruby>明日<rt>あした</rt></ruby>が<ruby>誕生日<rt>たんじょうび</rt></ruby>の<ruby>娘<rt>むすめ</rt></ruby>のために、ケーキを<ruby>作<rt>つく</rt></ruby>った。

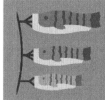

12 강

～たばかり 막 ~했다

학습목표

たばかり를 사용해서 이전 행동이 막 끝난 직후라는
표현을 학습합니다.

1. 접속 방법

동사た형 + ばかり

2. 단어

た
食べます 먹습니다   行きます 갑니다

かえ   ね
帰ります 돌아갑니다. 돌아옵니다   寝ます 잡니다

します 합니다   ちょうど 딱, 꼭, 정확히

いま
さっき 조금 전   たった今 지금 막

3. 예문

1) この漢字（かんじ）は、昨日勉強（きのうべんきょう）したばかりなのにもう忘（わす）れてしまった。

이 한자는 어제 막 공부했는데 벌써 잊어버렸어.

この漢字は、昨日勉強したばかりなのにもう忘れてしまった。

---

2) 学校（がっこう）から帰（かえ）ってきたばかりなのに、すぐに友達（ともだち）と遊（あそ）びに行（い）ってしまった。

학교에서 막 돌아왔는데 바로 친구들과 놀러가버렸어.

---

3) 今（いま）からラーメンを食（た）べるの？さっきご飯（はん）を食（た）べたばかりでしょ。

지금부터 라면을 먹을 거야? 아까 밥 먹은 지 얼마 안 됐잖아.

---

4) 先月（せんげつ）アメリカに旅行（りょこう）したばかりなのに、またすぐにアメリカに行（い）きたい。

저번 달에 미국에 여행한 지 얼마 안 됐는데 또 바로 미국에 가고 싶어.

---

5) 昨日 新 しい服を買ったばかりなのに、今日もまた服を
買ってしまった。
어제 새 옷을 산 지 얼마 안 됐는데 오늘도 또 옷을 사버렸어.

6) アルバイトを始めたばかりなので、覚えることがたくさん
あって大変だ。
아르바이트를 시작한 지 얼마 안되서 외울게 많아서 힘들어.

7) それ、今月 新 しく発売されたばかりのスマートフォンじゃ
ない？いいなぁ。
그거 이번 달에 막 새로 나온 스마트폰 아닌가? 좋겠네.

8) 誕 生日にもらったばかりのネックレスをなくしてしまっ
た。
생일날 막 받은 목걸이를 잃어버렸어.

9) 生^うまれたばかりの子猫^{こねこ}をうちで飼^かうことになった。

갓 태어난 아기 고양이를 우리 집에서 키우게 되었어.

---

10) 新^{あたら}しい家^{いえ}に引^ひっ越^こしたばかりで、まだ家具^{かぐ}がほとんどない。

새 집으로 이사한지 얼마 안되서 아직 가구가 거의 없어.

---

4. 회화 ①

A : ねぇ、田中さん、ちょっと見てください。

B : どうしたんですか。わぁ、子猫！かわいいですねえ。

A : 昨日生まれたんです。5匹生まれたんですよ。

B : そうなんですね。生まれたばかりの子猫はかわいいですね。

A: 저기 다나카씨, 좀 보세요.

B: 왜 그래요? 와, 새끼고양이! 귀엽네요.

A: 어제 태어났어요. 5 마리가 태어났어요.

B: 그렇군요. 막 태어난 새끼고양이는 귀엽네요.

회화 ②

（ショーケースに並んでいるケーキを見ながら）

A：わぁ、どれもおいしそう。

B：Aさん、どれにする？

A：そうだなぁ、チョコレートケーキといちごのショートケーキ

がいいな。

B：え？2つも食べるの？さっきお昼ご飯を食べたばかり

でしょ？

（진열장에 진열된 케이크를 보면서）

A: 와, 다 맛있어보여.

B: A 씨 뭘로 할거야?

A: 그렇네, 초콜릿 케이크랑 딸기 크림 케이크가 좋을 거 같아.

B: 뭐, 2 개나 먹으려고? 조금 전에 막 점심을 먹었잖아?

5. 헷갈리기 쉬운 부분

① 昨日買ったところのジャケットです。✕
   （きのうか）

② 昨日買ったばかりのジャケットです。○
   （きのうか）

※ 두 표현 모두 행동이 끝난 지 얼마 되지 않았음을
   나타내지만, たところ에는 명사를 결합할 수 없으므로,
   명사를 결합할 때는 たばかり를 사용합니다.

6. 확인하기

① 저번 달에 미국에 여행한 지 얼마 안 됐는데 또 바로 미국에 가고 싶어.

---

② 새 집으로 이사한지 얼마 안되서 아직 가구가 거의 없어.

확인하기 정답

① 저번 달에 미국에 여행한 지 얼마 안 됐는데 또 바로 미국에 가고 싶어.

先月アメリカに旅行したばかりなのに、またすぐにアメリカに行きたい。

---

② 새 집으로 이사한지 얼마 안되서 아직 가구가 거의 없어.

新しい家に引っ越したばかりで、まだ家具がほとんどない。

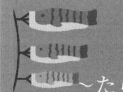

13 강

~たらどうですか ~하는 게 어때요?

학습목표

たらどうですか 를 사용해서 상대에게 어떤 행동을 하도록 촉구하는 표현을 학습합니다.

1. 접속 방법

동사た형 + らどうですか

2. 단어

行きます 갑니다   食べます 먹습니다   寝ます 잡니다

します 합니다   使います 사용합니다

書きます 씁니다, 적습니다   起きます 일어납니다

調べます 알아봅니다, 조사합니다   ～なら ~라면

～ので ~므로, ~때문에   じゃあ 그럼

3. 예문

1) 日本^{にほん}で進学^{しんがく}したいんですね。ではまず JLPT の試験^{しけん}を受^うけて
みたらどうですか。

일본에서 진학하고 싶은 거요. 그럼 우선 JLPT 시험을 봐보는게
어때요?

日本で進学したいんですね。ではまず JLPT の試験を
受けてみたらどうですか。

2) 夏休^{なつやす}みは旅行^{りょこう}に行^いきたいんですね。じゃあ、沖縄^{おきなわ}に行^いった
らどうですか。

여름방학에는 여행을 가고싶군요. 그럼 오키나와에 가는게 어때요?

3) 急^{いそ}いでいるんですね。では、こちらの道^{みち}を通^{とお}ったらどうです
か。

급하시군요. 그럼 이쪽 길로 지나가면 어떨까요?

4) 痩^やせたいなら、たくさん運動^{うんどう}したらどうですか。

살을 빼고 싶으면 운동을 많이 하는 게 어때요?

5) 暑そうですね。上着を脱いだらどうですか。

덥겠네요. 겉옷을 벗는 게 어때요?

---

6) 明日は早く仕事に行かなければならないんですね。じゃあ、
もう寝たらどうですか。

내일은 일찍 일하러 가야겠네요. 그럼 이제 자는게 어때요?

---

7) ちょっと顔色が悪いですね。少し休んだらどうですか。

안색이 좀 안 좋네요. 좀 쉬는 게 어때요?

---

8) 書類の書き方が分からないなら、山田さんに聞いたらどうで
すか。分かりやすく教えてくれますよ。

서류 쓰는 법을 모르면 야마다 씨에게 물어보는 게 어때요? 알기
쉽게 알려줄 거예요.

---

9) お金が必要なら、もっとアルバイトを増やしたらどうです
か。

돈이 필요하면 아르바이트를 더 늘리는 게 어때요?

---

10) 今日は天気がいいので、外へ散歩に行ったらどうですか。

오늘은 날씨가 좋은니까 밖으로 산책가는게 어때요?

---

4. 회화 ①

（レストランでメニューを見て悩んでいる）

A：うーん、どれも美味しそうですねぇ。どれにしましょうか？

B：そうですねぇ。今日は和食が食べたいですね。

A：和食ですか。Bさん、天ぷらは好きですか？この天ぷら

定食にしたらどうですか？

（레스토랑에서 메뉴를 보고 고민하고 있다）

A: 음, 다 맛있어보이네요. 어느 걸로 할까요?

B: 그렇네요. 오늘은 일본음식을 먹고싶네요.

A: 일본음식이요? B 씨, 템푸라는 좋아하나요? 이 템푸라 정식으로

하는 게 어때요?

회화 ②

A : Bさん、私、もうすぐアメリカに帰るんですが、家族への

おみやげを探しています。何を買ったらいいですか。

B : そうですねぇ。例えば、和紙の折り紙を買ったらどうです

か。和紙はきれいだし、持って帰りやすいですよ。

A: B 씨, 저 곧 미국에 돌아갑니다만, 가족의 기념선물을 찾고

있어요. 뭘 사면 좋을까요?

B: 그렇군요. 예를 들어 일본 전통 종이 접기를 사는 건 어때요?

일본 전통 종이는 예쁘기도 하고, 가져가기도 편해요.

5. 헷갈리기 쉬운 부분

① これ、色<ruby>いろ</ruby>がきれいでかわいいよ。こっちにしたらいい？✕

② これ、色<ruby>いろ</ruby>がきれいでかわいいよ。こっちにしたらどう？○

※ ~たらいい는 상대에게 조언을 구할 때 사용하는 표현이고,
~たらどう는 상대에게 조언을 할 때 사용하는 표현입니다.

6. 확인하기

① 살을 빼고 싶으면 운동을 많이 하는 게 어때요?

_____

② 오늘은 날씨가 좋으니까 밖으로 산책가는게 어때요?

_____

확인하기 정답

① 살을 빼고 싶으면 운동을 많이 하는 게 어때요?

<ruby>痩<rt>や</rt></ruby>せたいなら、たくさん<ruby>運動<rt>うんどう</rt></ruby>したらどうですか。

_____

② 오늘은 날씨가 좋으니까 밖으로 산책가는게 어때요?

<ruby>今日<rt>きょう</rt></ruby>は<ruby>天気<rt>てんき</rt></ruby>がいいので、<ruby>外<rt>そと</rt></ruby>へ<ruby>散歩<rt>さんぽ</rt></ruby>に<ruby>行<rt>い</rt></ruby>ったらどうですか。

_____

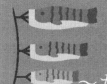

14 강

～たらいいですか ~하면 좋을까요?

학습목표
—————————————————————
たらいいですか를 사용해서 상대에게 조언을 구하는

표현을 학습합니다.

1. 접속 방법

동사た형 + らいいですか

2. 단어

します 합니다   行_いきます 갑니다

書_かきます 씁니다, 적습니다   言_いいます 말합니다

見_みます 봅니다

3. 예문

1) もし事故にあったら、どこに電話したらいいですか。

혹시 사고가 나면 어디로 전화하면 되나요?

もし事故にあったら、どこに電話したらいいですか。

---

2) 日本で大学に行きたいんですが、どうしたらいいですか。

일본에서 대학에 가고 싶은데 어떻게 해야 하나요?

---

3) 困ったことがある時は、誰に相談したらいいですか。

곤란한 일이 있을 때는 누구와 상담해야 하나요?

---

4) すみません、東京駅に行きたいんですが、どう行ったらいいですか。

실례합니다, 도쿄 역에 가고 싶은데 어떻게 가면 됩니까?

---

5) 相手の話がわからない時は、何と言ったらいいですか。

상대방의 말을 모를 때는 뭐라고 해야 하나요?

---

6) 明日の誕生日パーティですが、コップをいくつ用意したらいいですか。

내일 생일 파티인데 컵을 몇 개 준비하면 될까요?

7) ゴミの捨て方について知りたいんですが、何を見たらいいですか。

쓰레기 버리는 방법에 대해 알고 싶은데 무엇을 보면 좋을까요?

8) パソコンが欲しいんですが、どれを買ったらいいですか。

컴퓨터를 갖고 싶은데 어떤 것을 사야 하나요?

9) 来週の日曜日、友人の家に招待されたんですが、何を持って行ったらいいですか。

다음 주 일요일 친구 집에 초대받았는데 뭘 가져가면 되나요?

10) この宿題は、いつまでに提出したらいいですか。

이 숙제는 언제까지 제출하면 되나요?

4. 회화

A：Ｂさん、Ｂさんは韓国出身_{かんこくしゅっしん}ですよね。今度_{こんど}、韓国_{かんこく}に行_いき

たいんですが、どこに行_いったらいいですか？

B：明洞_{みょんどん}に行_いったらいいですよ。

A：Ｃさん、今度_{こんど}、美味_{おい}しいベトナム料理_{りょうり}を食_たべに行_いきたいん

ですが、どこのレストランに行_いったらいいですか？

C：ABC レストランに行_いったらいいですよ。

A: B 씨, B 씨는 한국출신이잖아요. 이번에 한국에 가는데요, 어디에

가면 좋을까요?

B: 명동에 가면 좋아요.

A: C 씨. 이번에 맛있는 베트남 음식을 먹으러 가고 싶은데요. 어느

레스토랑에 가면 좋을까요?

C: ABC 레스토랑에 가면 돼요.

5. 플러스 알파

「〜たほうがいい」 vs 「〜たらいい」

① 来週の日曜日はＡさんの誕生日なんですが、何を買った

方がいいですか？

② 来週の日曜日はＡさんの誕生日なんですが、何を買った

らいいですか？

※ たほうがいい 와 たらいい는 모두 조언을 구하는
표현이지만, たほうがいい 는 행동을 할지 말지에 대해서
결정된 바가 없는 경우이고, たらいい는 행동을 할 것이라는
전제하에 구체적인 조언을 구하는 경우에 사용하는
표현입니다.

6. 확인하기

① 일본에서 대학에 가고 싶은데 어떻게 해야 하나요?

---

② 컴퓨터를 갖고 싶은데 어떤 것을 사야 하나요?

확인하기 정답

① 일본에서 대학에 가고 싶은데 어떻게 해야 하나요?

日本で大学に行きたいんですが、どうしたらいいですか。

---

② 컴퓨터를 갖고 싶은데 어떤 것을 사야 하나요?

パソコンが欲しいんですが、どれを買ったらいいですか。

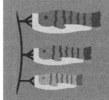

15 강

~出す ~하기 시작하다

학습목표

出す를 사용해서 동작의 개시의 표현을 학습합니다.

1. 접속 방법

동사ます형 + 出す

2. 단어

突然 돌연, 갑자기　　　急に 급작스럽게, 갑자기

いきなり 갑자기　　　一斉に 일제히, 동시에

3. 예문

1) 隣の人が急に笑い出しました。

옆 사람이 갑자기 웃기 시작했어요.

隣の人が急に笑い出しました。

2) 突然雨が降り出したので、急いで家に帰りました。

갑자기 비가 내리기 시작해서 서둘러 집에 갔어요.

3) パトカーがいきなりすごいスピードで走り出しました。

경찰차가 갑자기 엄청난 속도로 달리기 시작했어요.

4) 突然警報機が鳴り出したので、びっくりしました。

갑자기 경보기가 울리기 시작해서 깜짝 놀랐어요.

5) 壊れていると思っていた時計が、急に動き出しました。

고장난 줄 알았던 시계가 갑자기 움직이기 시작했어요.

6) 信号が青になったので、歩行者が一斉に歩き出しました。

신호등이 파란색이 되었기 때문에 보행자들이 일제히 걷기
시작했습니다.

7) 先生の誕生日なので、クラス全員が突然お祝いの歌を
歌い出しました。
선생님 생신이라 반 전원이 갑자기 축가를 부르기 시작했어요.

8) 車を運転していると、子どもが急に飛び出してきて、
慌ててブレーキを踏みました。
차를 운전하고 있는데 아이가 갑자기 튀어나와 황급히 브레이크를
밟았습니다.

9) 楽しく話をしていたのに、なぜか友達が急に怒り出しま
した。
즐겁게 이야기를 하고 있었는데 왠지 친구가 갑자기 화를 냈어요.

10) 動物園のゴリラが、突然檻から逃げ出しました。
동물원의 고릴라가 갑자기 우리에서 도망쳤어요.

4. 회화 ①

A：あ、寝ていた赤ちゃんが起きました。起きてすぐに泣きました。

B：どうして赤ちゃんが突然泣き出しましたか？

A：よく分かりませんが、多分お腹が空いたでしょ。

A: 아, 자고 있던 아기가 일어났어요. 일어나서 바로 울었어요.

B: 왜 아기가 갑자기 울기 시작했을까요?

A: 잘 모르겠어요. 아마도 배가 고파서겠죠.

회화 ②

犬：ワン、ワン、ワン！

A：犬が急に吠え出したけど、どうしたの？

B：あぁ、猫が塀の上を歩いているのね。

A：そうか、猫を見つけて急に吠え出したんだ。

개: 멍멍멍!

A: 개가 갑자기 짖기 시작했는데, 왜 그러지?

B: 아, 고양이가 벽을 타고 걷고 있네.

A: 그렇구나, 고양이를 발견하고 갑자기 짖기 시작했구나.

5. 헷갈리기 쉬운 부분

① 車を運転していると、突然子どもが飛び始めたのでびっくりした。✕

② 車を運転していると、突然子どもが飛び出したのでびっくりした。〇

③ いよいよ雨が降り始めた。〇

④ 急に雨が降り出した。〇

※ 동사ます형+始める는 준비된 동작을 시작했을 때
　사용하는 표현이고, 동사ます형+ 出す는 준비되지 않은
　행동을 갑작스럽게 시작했을 때 사용하는 표현입니다.

6. 확인하기

① 경찰차가 갑자기 엄청난 속도로 달리기 시작했어요.

② 신호등이 파란색이 되었기 때문에 보행자들이 일제히 걷기

시작했습니다.

확인하기 정답

① 경찰차가 갑자기 엄청난 속도로 달리기 시작했어요.

パトカーがいきなりすごいスピードで<ruby>走<rt>はし</rt></ruby>り<ruby>出<rt>だ</rt></ruby>しました。

② 신호등이 파란색이 되었기 때문에 보행자들이 일제히 걷기

시작했습니다.

<ruby>信号<rt>しんごう</rt></ruby>が<ruby>青<rt>あお</rt></ruby>になったので、<ruby>歩行者<rt>ほこうしゃ</rt></ruby>が<ruby>一斉<rt>いっせい</rt></ruby>に<ruby>歩<rt>ある</rt></ruby>き<ruby>出<rt>だ</rt></ruby>しました。

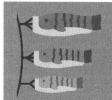

16 강
～そうです -라고 해요(전문)

학습목표

そうです를 사용해서 보거나 들은 내용을 상대에게
전달하는 표현을 학습합니다.

1. 접속 방법

동사 보통형 + そうです

형용사 보통형 + そうです

명사だ + そうです

2. 단어

もうすぐ 이제 곧, 머지않아 　　　　そろそろ 슬슬, 이제 곧

あと少しで 이제 곧, 이제 조금 있으면 　　　来ます 옵니다

引っ越します 이사합니다 　　　好きです 좋아합니다

3. 예문

1) もうすぐ<ruby>社 長<rt>しゃちょう</rt></ruby>がこちらにいらっしゃるそうです。

곧 사장님이 이쪽으로 오신대요.

もうすぐ社長がこちらにいらっしゃるそうです。

2) サラさんの<ruby>お母<rt>かあ</rt></ruby>さんは<ruby>日本人<rt>にほんじん</rt></ruby>だそうです。

사라씨의 어머니는 일본인이래요.

3) シンガポールのチキンライスはおいしいそうですよ。<ruby>食<rt>た</rt></ruby>べてみたいですね。

싱가포르의 치킨라이스는 맛있대요. 먹어보고 싶네요.

4) <ruby>明日<rt>あした</rt></ruby>の<ruby>会議<rt>かいぎ</rt></ruby>は<ruby>中止<rt>ちゅうし</rt></ruby>になったそうです。<ruby>部署<rt>ぶしょ</rt></ruby>のみなさんに<ruby>伝<rt>った</rt></ruby>えてください。

내일 회의는 취소되었다고 합니다. 부서 직원들에게 전해주세요.

5) <ruby>来月新<rt>らいげつあたら</rt></ruby>しいスマートフォンが<ruby>発売<rt>はつばい</rt></ruby>されるそうです。

다음달에 새로운 스마트폰이 출시된다고 합니다.

6) ジョンさんは１０年前、日本に３年間住んでいたそうですよ。

존 씨는 10년 전 일본에 3년 동안 살았대요.

---

7) 林さんはもうすぐ東京に引っ越すそうです。お別れパーティーを計画しましょう。

하야시 씨는 곧 도쿄로 이사한대요. 작별 파티를 계획해요.

---

8) マリーさんはチョコレートケーキが好きだそうです。

마리 씨는 초콜릿 케이크를 좋아한대요.

---

9) タイは一年中暑いそうです。

태국은 일년 내내 덥대요.

---

10) このマグカップは、イタリアに行った時に買ったそうですよ。

이 머그컵은 이탈리아 갔을 때 샀대요.

---

4. 会話 ①

（シンガポールの写真）

A：見てください。きれいなところでしょう。ここはどこか分かりますか？

B：マレーシアですか？

A：いいえ、ここはシンガポールです。

B：Aさん、シンガポールに行ったんですか？

A：いいえ、私は行ったことはありません。でも昨日友人に会って聞いたのですが、シンガポールのチキンライスはおいしいそうですよ。

B：そうですか。シンガポールのチキンライス、食べてみたいですね。

（싱가폴 사진）

A: 보세요. 예쁜 곳이죠. 여기가 어디인지 알겠어요?

B: 말레이시아인가요?

A: 아니오, 여기는 싱가포르예요.

B: A 씨, 싱가포르에 갔었나요?

A: 아니오, 저는 간 적이 없어요. 하지만 어제 친구를 만나서 들었는데요, 싱가포르의 치킨라이스가 맛있다고 해요.

B: 그런가요. 싱가포르의 치킨라이스, 먹어 보고 싶네요.

会話 ②

A：昨日、タイにいる友達と電話で話したんですよ。

B：友達はタイに住んでいるんですね。タイは暑いんでしょ

う？

A：そうですね、一年中暑いそうですよ。

B：それから、タイの食べ物は辛いんでしょう？

A：はい、辛い料理が多いそうです。でも、辛くないものもあ

るそうですよ。

A: 어제, 태국에 있는 친구랑 전화 통화를 했는데요.

B: 친구가 태국에 살고 있군요. 태국은 덥나요?

A: 그렇죠. 일년 내내 덥다고 해요.

B: 그리고, 태국 음식은 맵죠?

A: 네, 매운 음식이 많다고 해요. 하지만 맵지 않은 음식도 있다고

해요.

5. 플러스 알파

-다양한 そうです 용법-

1) 직전: 행동이 곧 일어날 거 같다는 표현입니다.

동사 ます형＋そうです

예문) 倒^{たお}れそうです。

쓰러질 것 같아요.

2) 전문: 듣거나 본 것을 상대에게 전달하는 표현입니다.

동사 형용사 보통형＋そうです

명사だ＋そうです

예문) このフランスのチョコレートはおいしいそうです。

이 프랑스 초콜렛은 맛있다고 해요.

3) 양태: 시각적인 정보를 기반으로 추측해서 말하는 표현입니다.

이형용사 어간＋そうです

이형용사 어간 ＋くなさそうです

나형용사 어간 ＋そうです

나형용사 어간＋じゃなさそうです

예문) このフランスのチョコレートはおいしそうです。

이 프랑스 초콜렛은 맛있을 거 같아요.

6. 확인하기

① 사라씨의 어머니는 일본인이래요.

---

② 이 머그컵은 이탈리아 갔을 때 샀대요.

확인하기 정답

① 사라씨의 어머니는 일본인이래요.

サラさんのお<ruby>母<rt>かあ</rt></ruby>さんは<ruby>日本人<rt>にほんじん</rt></ruby>だそうです。

---

② 이 머그컵은 이탈리아 갔을 때 샀대요.

このマグカップは、イタリアに<ruby>行<rt>い</rt></ruby>った<ruby>時<rt>とき</rt></ruby>に<ruby>買<rt>か</rt></ruby>ったそうです
よ。

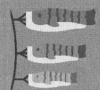

17 강
～そうです -일 것 같아요(양태)

학습목표

そうです를 사용해서 시각적인 정보를 기반한 추측의

표현을 학습합니다.

1. 접속 방법

이형용사 어간 + そうです

이형용사 어간 + くなさそうです

나형용사 어간 + そうです

나형용사 어간 + じゃなさそうです

2. 단어

おいしい 맛있다 　　　おもしろい 재미있다

<ruby>楽<rt>たの</rt></ruby>しい 즐겁다 　　<ruby>難<rt>むずか</rt></ruby>しい 어렵다

<ruby>便利<rt>べんり</rt></ruby>だ 편리하다 　　<ruby>大変<rt>たいへん</rt></ruby>だ 큰일이다, 힘들다

3. 예문

1) 写真の中の母は、子どもたちに囲まれて幸せそうな顔を
しています。

사진 속 어머니는 아이들에게 둘러싸여 행복한 얼굴을 하고
있습니다.ㄴ

写真の中の母は、子どもたちに囲まれて幸せそうな
顔をしています。

---

2) 今回のテストは難しい文法がたくさん出るので、大変そ
うです。

이번 시험은 어려운 문법이 많이 나와서 힘들 것 같아요.

---

3) 新しいスマートフォンは、機能がたくさんあって便利そう
です。

새 스마트폰은 기능이 많이 있어서 편리할 것 같아요.

---

4) 山田さんの弁当はいつもおいしそうです。

야마다씨의 도시락은 항상 맛있어 보입니다.

---

5) この映画、おもしろそうだね。今度一緒に行かない？

이 영화 재미있을 것 같네. 다음에 같이 가지 않을래?

---

6) 田中さん、具合が悪そうだね。大丈夫かなぁ。

다나카 씨, 몸이 안 좋은 것 같네. 괜찮을까?

---

7) 父の作ってくれたカレーはおいしそうだけど、とても
辛そうだ。

아빠가 해주신 카레는 맛있어 보이는데 너무 매울 것 같아.

---

8) そのけが、どうしたの？とても痛そうだね。

그 상처, 무슨 일이야? 너무 아파 보이네.

---

9) 祖母^{そぼ}は、久^{ひさ}しぶりに孫^{まご}に会^あえてとても嬉^{うれ}しそうです。

할머니는 오랜만에 손자를 만나서 매우 기쁜 것 같아요.

---

10) 猫^{ねこ}がベランダで気持^{きも}ちよさそうに寝^ねています。

고양이가 베란다에서 기분 좋은 듯이 자고 있어요.

---

4. 회화 ①

（キムチチゲの写真）

A：見てください。これは何ですか？分かりますか？

B：韓国の食べ物です。

A：そうです、これは韓国の食べ物の「キムチチゲ」と言います。これは甘いですか？辛いですか？

B：このキムチチゲは辛そうです。

（김치찌개 사진）

A: 보세요. 이건 뭔가요? 알겠어요?

B: 한국 음식이에요.

A: 그래요. 이것은 한국음식인 '김치찌개'라고해요. 이것은

달달한가요? 매운가요?

B: 이 김치찌개는 매워보여요.

会話②

A：おはようございます。

B：Aさん、おはよう。あれ、Aさん、どうしたんですか？とても嬉しそうですね。何かいいことがありましたか？

A：はい、実は昨日宝くじが当たったんです。

B：わぁ！それはすごいですね！よかったですね。

A: 좋은 아침이에요.

B: A 씨 안녕하세요. 어머 A 씨, 무슨일이에요? 엄청 기뻐

보이는데요. 뭔가 좋은 일이 있었나요?

A: 네, 실은 어제 복권에 당첨됐어요.

B: 우와, 그거 대단한데요. 잘 됐네요.

5. 헷갈리기 쉬운 부분

① かわいいです: かわいそうです ✕

② きれいです: きれいそうです ✕

※ 양태의 표현은 시각적인 판단에 의한 추측의 표현으로,
외양에 대한 형용사에는 사용하지 않습니다.

6. 확인하기

① 새 스마트폰은 기능이 많이 있어서 편리할 것 같아요.

_____

② 고양이가 베란다에서 기분 좋은 듯이 자고 있어요.

_____

확인하기 정답

① 새 스마트폰은 기능이 많이 있어서 편리할 것 같아요.

新 しいスマートフォンは、機能がたくさんあって便利そう
です。

_____

② 고양이가 베란다에서 기분 좋은 듯이 자고 있어요.

猫がベランダで気持ちよさそうに寝ています。

_____

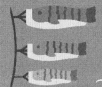

18 강
~そうです 곧 ~할 듯하다(직전)

학습목표

そうです를 사용해서 곧 어떠한 일이 일어날
것이라는 것을 전달하는 표현을 학습합니다.

1. 접속 방법

동사ます형 + そうです

2. 단어

もうすぐ 이제 곧, 머지않아

今にも 당장에라도, 이제 곧, 막

そろそろ 슬슬, 이제 곧

あと少しで 조금만 있으면, 이제 조금만 더

3. 예문

1) もうすぐ 桜 が咲きそうです。

이제 곧 벚꽃이 필 것 같아요.

もうすぐ桜が咲きそうです。

2) 今にも雨が降りそうです。

금방이라도 비가 올 것 같아요.

3) あと少しでお茶がなくなりそうです。

조금 있으면 차가 다 떨어질 것 같아요.

4) 荷物が重くて、 袋 がやぶれそうです。

짐이 무거워서 봉투가 터질 것 같아요.

5) テーブルの上のコップが落ちそうです。

테이블 위에 컵이 떨어질 것 같아요.

6) あと少しでお湯がわきそうです。

조금 있으면 물이 끓을 것 같아요.

7) 今にも赤ちゃんが起きそうです。

금방이라도 아기가 일어날 것 같아요.

8) もうすぐ授業が終わりそうです。

곧 수업이 끝날 것 같아요.

9) 電車はもうすぐ東京駅に着きそうです。

전철은 곧 도쿄역에 도착할 것 같습니다.

10) あの女の子は今にも泣き出しそうです。

저 여자애는 금방이라도 울음을 터뜨릴 것 같아요.

4. 회화 ①

（暗い空）

A：今、どんな天気ですか？晴れていますか？

B：いいえ、晴れていません。

A：そうですね、では、雨は降っていますか？

B：いいえ、降っていません。でも空が暗いですから、もうす

ぐ雨が降りそうです。

（어두운 하늘）

A: 지금, 어떤 날씨인가요? 맑은가요?

B: 아니오, 맑지 않아요.

A: 그렇네요, 그럼 비가 내리고 있나요?

B: 아니오, 내리고 있지 않아요. 하지만 하늘이 어둡기 때문에

머지않아 비가 내릴 거 같아요.

会話 ②

子ども：お母（かあ）さん、ただいま。

お母さん：お帰（かえ）りなさい。

子ども：お母（かあ）さん、アイスクリーム、食（た）べてもいい？

お母さん：いいですよ。はい、どうぞ。

子ども：ありがとう！冷（つめ）たくておいしい。もう一（ひと）つ食（た）べてもいい？

お母さん：いいですよ。あ、アイスクリームがあと２つしかないわ。

子ども：本当（ほんとう）だ。あと少（すこ）しでアイスクリームがなくなりそうだね。

아이: 엄마, 다녀왔습니다.

어머니: 어서와.

아이: 엄마, 아이스크림 먹어도 돼?

어머니: 그래, 여기 있어.

아이: 고마워, 시원하고 맛있어. 하나 더 먹어도 될까?

어머니: 그래. 아, 아이스크림이 이제 2개밖에 없네.

아이: 진짜네. 이제 곧 아이스크림이 없어지겠다.

5. 플러스 알파

1) 직전의 용법의 そうです

동사 ます형 + そうです

예문) もうすぐお湯がわきそうです。

  이제 곧 물이 끓을 거 같아요.

2) 전문의 용법의 そうです

동사 보통형 + そうです

예문) もうすぐお湯がわくそうです。

  이제 곧 물이 끓는다고 해요.

6. 확인하기

① 짐이 무거워서 봉투가 터질 것 같아요.

---

② 곧 수업이 끝날 것 같아요.

확인하기 정답

① 짐이 무거워서 봉투가 터질 것 같아요.

荷物が重くて、袋がやぶれそうです。

にもつ　おも　　　ふくろ

---

② 곧 수업이 끝날 것 같아요.

もうすぐ授業が終わりそうです。

じゅぎょう　お

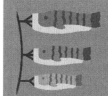

19 강

～ことにする ~ 하기로 하다

학습목표

ことにする를 사용해서 자신의 의지로 결정한 것에
대한 표현을 학습합니다.

1. 접속 방법

동사 + ことにする

동사ない형 + ことにする

2. 단어

<ruby>買<rt>か</rt></ruby>います 삽니다 　　　<ruby>行<rt>い</rt></ruby>きます 갑니다

<ruby>帰<rt>かえ</rt></ruby>ります 돌아갑니다, 돌아옵니다 　　　<ruby>寝<rt>ね</rt></ruby>ます 잡니다

<ruby>吸<rt>す</rt></ruby>います (담배 등을) 핍니다 　　　<ruby>歩<rt>ある</rt></ruby>きます 걷습니다

<ruby>食<rt>た</rt></ruby>べます 먹습니다 　　　<ruby>勉強<rt>べんきょう</rt></ruby>します 공부합니다

<ruby>運動<rt>うんどう</rt></ruby>します 운동합니다

3. 예문

かのじょ たんじょうび　　　　　　　　　　　とけい　か
1) 彼女の誕生日プレゼントに時計を買うことにした。

그녀의 생일 선물로 시계를 사기로 했어.

彼女の誕生日プレゼントに時計を買うことにした。

こんど　しゅうまつ　　　　ひとり　びじゅつかん　　い
2) 今度の週末は、一人で美術館へ行くことにする。

이번 주말에는 혼자 미술관에 가기로 했어.

なつやす　　くに　かえ
3) 夏休みに国へ帰ることにした。

여름방학에 고향에 돌아가기로 했어.

けんこう　　　　　　　　　　　　す
4) 健康のためにたばこを吸わないことにする。

건강을 위해서 담배를 피우지 않기로 할 거야.

えき　　がっこう　　　　ある
5) 駅から学校まで歩くことにします。

역에서 학교까지 걷기로 합니다.

6) わからないことは自分で調べることにする。
모르는 것은 스스로 조사하도록 할 거야.

7) 明日からは夜１１時までに寝ることにする。
내일부터는 밤 11 시까지 자도록 할 거야.

8) ダイエットのために夜８時以降は何も食べないことにした。
다이어트 때문에 저녁 8 시 이후로는 아무것도 먹지 않기로 했어.

9) もうすぐ JLPT だから、毎日２時間勉強することにする。
곧 JLPT 니까 매일 2 시간 공부하기로 할 거야.

10) 土曜日は友達と運動することにしました。
토요일은 친구들과 운동하기로 했어요.

4. 회화

A：最近太りましたのでダイエットしたいです。みなさんはダ

イエットのために何をしますか。

B：毎日走ったりジムに行ったりします。

C：夕食を食べません。

A：なるほど。いいですね。私も今日から夕食を食べないこ

とにします。

A: 요즘 살이 쪄서 다이어트하고 싶어요. 여러분은 다이어트를

위해서 무엇을 하나요?

B: 매일 달리거나 헬스장에 가거나 해요.

C: 저녁을 안 먹어요.

A: 그렇군요. 좋은 방법이네요. 저도 오늘부터 저녁을 안 먹도록 할

거예요.

5. 플러스 알파

1) 「ことにする」 vs 「こととする」

※ 같은 의미로 사용하는 두 표현으로 こととする는 ことに する에 비해서 격식을 차린 자리에서 사용하거나 문어체로 사용하는 딱딱한 표현입니다.

2) 「ことにする」 vs 「ことになる」

① 来年は東京に住むことにした。
らいねん　とうきょう　す

내년에는 도쿄에 살기로 했어. (본인의 의지)

② 来年は東京に住むことになった。
らいねん　とうきょう　す

내년에는 도쿄에 살기로 됐어. (외부적 요인)

※ ことになる는 본인의 의지가 아닌 외부적 요인으로 결정된 것을 말할 때 사용합니다.

6. 확인하기

① 이번 주말에는 혼자 미술관에 가기로 했어.

___

② 건강을 위해서 담배를 피우지 않기로 할 거야.

___

확인하기 정답

① 이번 주말에는 혼자 미술관에 가기로 했어.

こんど　しゅうまつ　　　ひとり　びじゅつかん　い
今度の週末は、一人で美術館へ行くことにする。

___

② 건강을 위해서 담배를 피우지 않기로 할 거야.

けんこう　　　　　　　　　　　す
健康のためにたばこを吸わないことにする。

___

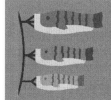

20강
～ことになる ~하게 되다

학습목표

ことになる를 사용해서 외부적 요인으로 결정된 것이나, 자연스럽게 상황이 만들어진 것에 대한 표현을 학습합니다.

1. 접속 방법

동사 + ことになる

동사ない형 + ことになる

2. 단어

い
行きます 갑니다

かえ
帰ります 돌아갑니다, 돌아옵니다

つく
作ります 만듭니다

す
住みます 거주합니다

み
見ます 봅니다

はたら
働きます 일합니다

た
食べます 먹습니다

べんきょう
勉強します 공부합니다

けっこん
結婚します 결혼합니다

しゅっちょう
出張します 출장 갑니다

3. 예문

1) 雨なので、今日は動物園に行かないことになった。

비가 와서 오늘은 동물원에 가지 않기로 했어.

雨なので、今日は動物園に行かないことになった。

---

2) 夏休みは彼女と一緒に国へ帰ることになりました。

여름방학에는 그녀와 함께 고향으로 돌아가게 되었습니다.

---

3) 週末のパーティーでピザを作ることになった。

주말 파티에서 피자를 만들게 되었어.

---

4) 来月から東京に住むことになった。

다음 달부터 도쿄에 살게 되었어.

---

5) 仕事の後、彼氏と映画を見ることになった。

퇴근 후 남자친구와 영화를 보게 되었어.

---

6) ビザが取れたので、日本で働けることになった。

비자가 나왔기 때문에 일본에서 일할 수 있게 되었어.

---

7) 今日のランチは山田さんと食べることになりました。

오늘 점심은 야마다씨와 먹게 되었습니다.

---

8) もうすぐテストだから、友達と図書館で勉強することになった。

곧 시험이라서 친구들과 도서관에서 공부하게 되었어.

---

9) 来年の春に結婚することになりました。

내년 봄에 결혼하게 되었습니다.

---

10) 突然、明日大阪に出張することになった。

갑자기 내일 오사카로 출장을 가게 되었어.

---

4. 회화

A : 週末、パーティーの食べ物と飲み物はどうしますか。

B : 私がピザを作ることになりました。

A : B さんの手作りピザですか、いいですね。飲み物は？

B : C さんがジュースを持ってくることになりました。

A: 주말 파티의 음식과 음료는 어떻게 할 거예요?

B: 제가 피자를 만들기로 되었어요.

A: B 씨가 손수만드는 피자라고요? 좋겠네요. 음료는요?

B: C 씨가 주스를 가져오기로 되었어요.

5. 플러스 알파

1) 「ことになる」 vs 「こととなる」

※ 같은 의미로 사용하는 두 표현으로 こととなる는 ことに
なる에 비해서 격식을 차린 자리에서 사용하거나 문어체로
사용하는 딱딱한 표현입니다.

2) 「ことにする」 vs 「ことになる」

来年は東京に住むことにした。 내년에는 도쿄에 살기로 했어.

(본인의 의지)

来年は東京に住むことになった。 내년에는 도쿄에 살기로

됐어. (외부적 요인)

※ ことになる는 본인의 의지로 결정된 것을 말할 때, 완곡한
표현으로 사용하기도 합니다.

6. 확인하기

① 퇴근 후 남자친구와 영화를 보게 되었어.

---

② 따뜻한 차가 준비되어 있습니다.

확인하기 정답

① 퇴근 후 남자친구와 영화를 보게 되었어.

しごと あと かれし えいが み
仕事の後、彼氏と映画を見ることになった。

---

② 비가 와서 오늘은 동물원에 가지 않기로 했어.

あめ きょう どうぶつえん い
雨なので、今日は動物園に行かないことになった。

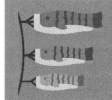

21 강

～ ことがある~ 할 때가 있다

학습목표

ことがある를 사용해서 일상적이지 않게 가끔
일어나는 일에 대한 표현을 학습합니다.

1. 접속 방법

동사 + ことがある

동사ない형 + ことがある

2. 단어

行きます 갑니다   会います 만납니다

飲みます 마십니다   作ります 만듭니다

買います 삽니다   食べます 먹습니다

見ます 봅니다   来ます 옵니다

勉強します 공부합니다   時々 가끔

たまに 가끔, 어쩌다   まれに 가끔, 드물게

今でも 지금도

3. 예문

1) 週<small>しゅうまつ</small>末、たまに美<small>びじゅつかん</small>術館に行<small>い</small>くことがあります。

주말에 가끔 미술관에 갈 때가 있어요.

週末、たまに美術館に行くことがあります。

2) 時<small>ときどき</small>々、田<small>たなか</small>中さんと食<small>しょくどう</small>堂で会<small>あ</small>うことがあります。

가끔 다나카씨와 식당에서 만날 때가 있어요.

3) たまにビールを飲<small>の</small>むことがあります。

가끔 맥주를 마실 때가 있어요.

4) 疲<small>つか</small>れている日<small>ひ</small>は料<small>りょうり</small>理を作<small>つく</small>らないことがあります。

피곤한 날은 요리를 만들지 않을 때가 있어요.

5) コンビニでお弁<small>べんとう</small>当を買<small>か</small>うことがあります。

편의점에서 도시락을 살 때가 있어요.

6) 朝ごはんを食べないことがあります。

아침을 먹지 않을 때가 있어요.

7) アメリカのドラマが好きですが、時々韓国ドラマを見ることがあります。

미국 드라마를 좋아하지만 가끔 한국 드라마를 볼 때가 있어요.

8) トムさんは時間に遅れて来ることがあります。

톰씨는 (약속)시간에 늦게 때가 있어요.

9) たまにカフェで勉強することがあります。

가끔 카페에서 공부할 때가 있어요.

10) 悩んでいる時は眠れないことがあります。

고민하고 있을 때는 잠이 오지 않을 때가 있어요.

4. 会話

A：Bさん、映画やドラマを見ることは好きですか。

B：はい、好きです。

A：いつも何の映画を見ますか。アメリカの映画？日本の
映画？

B：いつもアメリカの映画を見ますが、ときどき日本の映画を
見ることがあります。

A：そうですか。日本の映画も見ますか。いつも映画館へ行きま
すか。

B：はい、いつも映画館へ行きます。でも、たまにうちで映画を
見ることがあります。

A: B 씨, 영화나 드라마를 보는 걸 좋아하나요?

B: 네, 좋아해요.

A: 항상 무슨 영화를 보나요? 미국 영화? 일본 영화?

B: 항상 미국 영화를 보지만, 가끔은 일본 영화를 보기도 해요.

A: 그래요? 일본 영화도 보나요? 항상 영화관에서 보나요?

B: 네, 항상 영화관에 가요. 하지만 가끔은 집에서 영화를 볼 때도
있어요.

5. 플러스 알파

1) 「ことがある」 vs 「こともある」

※ 두 표현은 같은 의미로 사용합니다.

2) 「ことがある」 vs 「たことがある」

京都に行くことがある。

교토에 가는 일이 있다.

京都に行ったことがある。

교토에 간 적이 있다.

※ 동사 た형 + ことがある는 경험에 대한 표현입니다.

6. 확인하기

① 편의점에서 도시락을 살 때가 있어요.

---

② 피곤한 날은 요리를 만들지 않을 때가 있어요.

확인하기 정답

① 편의점에서 도시락을 살 때가 있어요.

コンビニでお<ruby>弁当<rt>べんとう</rt></ruby>を<ruby>買<rt>か</rt></ruby>うことがあります。

---

② 피곤한 날은 요리를 만들지 않을 때가 있어요.

<ruby>疲<rt>つか</rt></ruby>れている<ruby>日<rt>ひ</rt></ruby>は<ruby>料理<rt>りょうり</rt></ruby>を<ruby>作<rt>つく</rt></ruby>らないことがあります。

---

22 강

〜かもしれない ~일지도 모른다

학습목표

かもしれない를 사용해서 어느 정도 가능성이 있는 사실에 대한 추측의 표현을 학습합니다.

1. 접속 방법

동사 (보통형) ＋かもしれない

이형용사 (보통형)＋かもしれない

형용사 어간＋かもしれない

명사＋かもしれない

2. 단어

い
行きます 갑니다

き
来ます 옵니다

た
食べます 먹습니다

ふ
降ります (비, 눈)내립니다

います 있습니다

おいしい 맛있다

たか
高い 비싸다, 높다

むずか
難しい 어렵다

はや
速い 빠르다

いそが
忙しい 바쁘다

3. 예문

1) 明日は休みだから、家族と京都に行くかもしれない。

内일은 휴일이기 때문에 가족과 교토에 갈지도 몰라.

明日は休みだから、家族と京都に行くかもしれない。

---

2) 田中さんは最近 忙 しいから、パーティーに来ないかもしれ
ない。

다나카 씨는 요즘 바쁘기 때문에 파티에 오지 않을지도 몰라.

---

3) メアリーさんはダイエットをしているから、肉は食べない
かもしれない。

메리 씨는 다이어트를 하고 있기 때문에 고기는 먹지 않을지도
몰라.

---

4) 今日はとても寒いです。雪が降るかもしれません。

오늘은 매우 춥습니다. 눈이 올지도 몰라요.

---

5) トムさんは優しくてかっこいいですから、彼女がいるかも
しれません。

톰 씨는 상냥하고 멋있기 때문에 여자친구가 있을지도 모릅니다.

---

6) 作り方を間違えたから、このカレーはおいしくないかも
しれない。

잘못 만들었기 때문에 이 카레는 맛이 없을지도 몰라.

---

7) 前の漢字テストは簡単でした。でも次は難しいかも
しれない。

이전 한자 테스트는 간단했습니다. 근데 다음에는 어려울 수도
있어.

---

8) 電車で行くよりも、バスのほうが速いかもしれません。

전철로 가는 것보다 버스가 빠를지도 모릅니다.

---

9) 山田さんが電話にでません。今仕事が 忙 しいかもしれ
ません。
야마다씨가 전화를 받지 않습니다. 지금 일이 바쁠 수도 있어요.

---

10) 彼はいつも同じ駅で降りているので、あの学校の学生
かもしれない。
그는 항상 같은 역에서 내리고 있기 때문에 그 학교 학생일지도
몰라.

4. 회화

(空が暗くなってきている写真)

A : この写真を見てください。晴れですか。

B : いいえ。くもりです。暗いです。

A : あとで晴れますか。それとも雨が降りますか。

B : わかりませんが、たぶん雨が降るかもしれません。

(하늘이 어두워지고 있는 사진)

A: 이 사진을 보세요. 날씨가 맑은가요?

B: 아니오. 흐려요. 어두워요.

A: 이후에 맑아질까요? 아니면 비가 올까요?

B: 잘 모르겠지만, 아마도 비가 올지도 모르겠네요.

5. 헷갈리기 쉬운 부분

① 明日 忙しいかもしれませんか？✕
<ruby>明日<rt>あす</rt></ruby> <ruby>忙<rt>いそが</rt></ruby>しいかもしれませんか？✕

② あとで雨が降るかもしれないですか？✕
あとで<ruby>雨<rt>あめ</rt></ruby>が<ruby>降<rt>ふ</rt></ruby>るかもしれないですか？✕

※ かもしれない는 의문문으로는 사용하지 않습니다.

6. 확인하기

① 다나카 씨는 요즘 바쁘기 때문에 파티에 오지 않을지도 몰라.

---

② 잘못 만들었기 때문에 이 카레는 맛이 없을지도 몰라.

확인하기 정답

① 다나카 씨는 요즘 바쁘기 때문에 파티에 오지 않을지도 몰라.

<ruby>田中<rt>たなか</rt></ruby>さんは<ruby>最近 忙<rt>さいきんいそが</rt></ruby>しいから、パーティーに<ruby>来<rt>こ</rt></ruby>ないかもしれない。

---

② 잘못 만들었기 때문에 이 카레는 맛이 없을지도 몰라.

<ruby>作<rt>つく</rt></ruby>り<ruby>方<rt>かた</rt></ruby>を<ruby>間違<rt>まちが</rt></ruby>えたから、このカレーはおいしくないかもしれない。

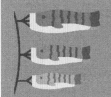

23강

〜かどうか ~인지 어떤지

학습목표

かどうか를 사용해서 네/아니오 의문문을 포함한
문장의 표현을 학습합니다.

1. 접속 방법

동사 + かどうか

이형용사 + かどうか

나형용사 어간 + かどうか

명사 + かどうか

2. 단어

行_いきます 갑니다　　　帰_{かえ}ります 돌아갑니다, 돌아옵니다

来_きます 옵니다　　　買_かいます 삽니다　　　います 있습니다

おいしい 맛있다　　　おもしろい 재미있다

安_{やす}い 저렴하다　　　いい 좋다, 괜찮다

元気_{げんき}だ 활기차다, 건강하다　　　有名_{ゆうめい}だ 유명하다

きれいだ 예쁘다, 깨끗하다　　　便利_{べんり}だ 편리하다

3. 예문

1) 夏休みに国へ帰るかどうか、まだわかりません。

여름방학에 고국에 돌아갈지 아직 모르겠어요.

夏休みに国へ帰るかどうか、まだわかりません。

---

2) トムさんがパーティーに来るかどうか、聞きましょうか。

톰 씨가 파티에 오는지 물어볼까요?

---

3) 新しいかばんを買うかどうか、悩んでいます。

새 가방을 살지 말지 고민하고 있어요.

---

4) カレンさんに彼氏がいるかどうか、知っていますか。

카렌 씨가 남자친구가 있는지 아세요?

---

5) この料理は食べたことがありませんから、おいしいかどうか
わかりません。

이 요리는 먹어본 적이 없기 때문에 맛있을지 어떨지 모르겠습니다.

---

6) この映画は有名ですが、おもしろいかどうかは知りません。

이 영화는 유명하지만 재미있을지는 모르겠어요.

7) アルバイトを休んでもいいかどうか、店長に聞きました。

아르바이트를 쉬어도 되는지 점장님께 물었습니다.

8) 家族としばらく会っていませんから、元気かどうか心配です。

가족들과 안 본 지 좀 돼서 잘 지내는지 걱정입니다.

9) このモデルはアメリカでも有名かどうかわかりません。

이 모델은 미국에서도 유명한지 모르겠어요.

10) あの人は日本人かどうかわかりません。

저 사람은 일본인인지 아닌지 모르겠어요.

4. 회화

A : Bさん、日曜日(にちようび)は暇(ひま)ですか。

B : はい、暇(ひま)です。

A : じゃ、パーティーに来(き)ませんか。

B : ええ、いいですよ。

A : Cさんも一緒(いっしょ)に来(き)てください。

B : Cさんが日曜日(にちようび)、暇(ひま)かどうか聞(き)いてみますね。

A: B 씨 일요일은 한가한가요?

B: 네, 한가해요.

A: 그럼, 파티에 오지 않을래요?

B: 네, 좋아요.

A: C 씨도 함께 오세요.

B: C 씨가 일요일에 한가한지 어떤지 물어 볼게요.

5. 헷갈리기 쉬운 부분

① いつ国に帰るかどうかわかりません。✕
　　　　くに　かえ

② いつ国に帰るかわかりません。○
　　　　くに　かえ

③ 国に帰るかどうかわかりません。○
　　くに　かえ

※ かどうか는 의문사가 들어간 문장에는 사용하기

어색합니다. 의문사와 포함된 문장에는 どうか를 제외하고

사용해야 자연스러운 문장이 됩니다.

6. 확인하기

① 새 가방을 살지 말지 고민하고 있어요.

___

② 이 모델은 미국에서도 유명한지 모르겠어요.

___

확인하기 정답

① 새 가방을 살지 말지 고민하고 있어요.

<ruby>新<rt>あたら</rt></ruby> しいかばんを<ruby>買<rt>か</rt></ruby>うかどうか、<ruby>悩<rt>なや</rt></ruby>んでいます。

___

② 이 모델은 미국에서도 유명한지 모르겠어요.

このモデルはアメリカでも<ruby>有名<rt>ゆうめい</rt></ruby>かどうかわかりません。

___

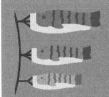

24강

～がする ~가 나다, 들다

학습목표

がする를 사용해서 다양한 감각에 대한 표현을
학습합니다.

---

1. 접속 방법

명사 + がする

---

2. 단어

におい 냄새   声(こえ) 목소리   味(あじ) 맛

音(おと) 소리   感(かん)じ 느낌

---

3. 예문

1) 変(へん)な匂(にお)いがします。何(なに)か燃(も)えているようです。

이상한 냄새가 나요. 뭔가 타는 것 같아요.

変な匂いがします。何か燃えているようです。

---

2) 母がカレーを作っていますから、いい匂いがします。

엄마가 카레를 만드셔서 좋은 냄새가 나요.

---

3) この辺りはいつも海の匂いがするよね。

이 근처는 항상 바다 냄새가 나지.

---

4) このコーヒーは変な味がする。

이 커피는 이상한 맛이 나.

---

5) この水はレモンの味がしますね。

이 물은 레몬 맛이 나네요.

---

6) 外から子どもが泣いている声がする。

밖에서 아이가 우는 소리가 나.

---

7) パソコンから変な音がする。

컴퓨터에서 이상한 소리가 나.

8) 今、隣の部屋で大きな音がしました。見に行きましょう。

방금 옆방에서 큰 소리가 났어요. 보러 가시죠.

---

9) この曲は優しい感じがします。

이 곡은 부드러운 느낌이 들어요.

---

10) この料理を食べると、いつも懐かしい感じがする。

이 음식을 먹으면 항상 그리운 느낌이 들어. (추억에 젖어)

---

4. 회화

A : 何_{なに}をしていますか。

B : カレーを作_{つく}っています。

A : いいにおいがしますね。

B : どうぞ、食_たべてみてください。

A : このカレーは、すこし辛_{から}い味_{あじ}がしますね。おいしいです。

A: 뭐하고 있어요?

B: 카레르 만들고 있어요.

A: 좋은 냄새가 나네요.

B: 여기요. 먹어 보세요.

A: 이 카레는 좀 매운 맛이 나네요. 맛있어요.

5. 헷갈리기 쉬운 부분

変な味でする✕

変な味をする✕

変な味がする○

이상한 맛이 난다

いいにおいでする✕

いいにおいをする✕

いいにおいがする○

좋은 냄새가 난다

大きな音でする✕

大きな音をする✕

大きな音がする○

큰 소리가 난다

※ がする 문장은 조사 が만을 사용합니다.

6. 확인하기

① 이 물은 레몬 맛이 나네요.

_____

② 방금 옆방에서 큰 소리가 났어요. 보러 가시죠.

_____

확인하기 정답

① 이 물은 레몬 맛이 나네요.

この水はレモンの味がしますね。

_____

② 방금 옆방에서 큰 소리가 났어요. 보러 가시죠.

今、隣の部屋で大きな音がしました。見に行きましょう。

_____

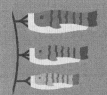

25강

～か ~(의문사) ~인지

학습목표

か를 사용해서 의문사가 포함된 간접 의문문의 표현을 학습합니다.

1. 접속 방법

의문사 + 동사 + か

의문사 + 이형용사 + か

의문사 + 나형용사 어간 + か

의문사 + 명사 + か

2. 단어

何時に 몇시에	いつ 언제	誰が 누가
どこへ 어디에	どうやって 어떻게	どれが 어느 것이
どうして 어째서, 왜	何を 무엇을	
行きます 갑니다	帰ります 돌아갑니다, 돌아옵니다	
決めます 결정합니다	終わります 끝납니다	
使います 사용합니다	作ります 만듭니다	
あります 있습니다	います 있습니다	

163

3. 예문

1) 明日何時に映画に行くか、教えてください。

내일 몇 시에 영화보러 가는지 알려주세요.

明日何時に映画に行くか、教えてください。

2) トムさんがいつアメリカに帰るか、知っていますか。

톰 씨가 언제 미국으로 돌아가는지 아세요?

3) 誰がパーティーに来るか、まだわかりません。

누가 파티에 올지 아직 모르겠어요.

4) 夏休みにどこへ行くか、相談しましょう。

여름방학에 어디로 갈지 상의해요.

5) この料理はどうやって作るかわかりません。

이 요리는 어떻게 만들지 모르겠어요.

6) どうしてデートに遅れたか、説明してください。

왜 데이트에 늦었는지 설명해 주세요.

---

7) どれが私のコーヒーか、覚えていません。

어떤 게 제 커피인지 기억이 안 나요.

---

8) 国に帰ったら何をするか、まだ決めていません。

고국에 돌아가면 무엇을 할지 아직 정하지 못했어요.

---

9) 山田さんはどこにいるか、知っていますか。

야마다 씨는 어디에 있는지 알고 있습니까?

---

10) 銀行がどこにあるか、知りません。

은행이 어디 있는지 몰라요.

---

4. 회화

[憂鬱]
（ゆううつ）

A：この漢字を見てください。

B：難しい漢字ですね。

A：この漢字はどうやって読むか知っていますか。

B：知りません。

A：これは「ゆううつ」と読みます。何の意味かわかります
か。

B：いいえ、わかりません。

A：気がふさぐことを意味します。

[憂鬱 우울]

A 이 한자를 보세요.

B: 어려운 한자네요.

A: 이 한자를 어떻게 읽는 지 아세요?

B: 모르겠어요.

A: 이것은 'ゆううつ' 라고 읽어요. 무슨 의미인지 알아요?

B: 아니오, 몰라요.

A: 기분이 울적해진다는 의미예요.

5. 헷갈리기 쉬운 부분

1) いつ<ruby>暇<rt>ひま</rt></ruby>ですか、わかりません。×

　いつ<ruby>暇<rt>ひま</rt></ruby>か、わかりません。○

2) どんな<ruby>料理<rt>りょうり</rt></ruby>ですか、わかりません。×

　どんな<ruby>料理<rt>りょうり</rt></ruby>か、わかりません。○

※ 의문사 + か 문장은 정중형으로 사용하지 않습니다.

6. 확인하기

① 누가 파티에 올지 아직 모르겠어요.

② 고국에 돌아가면 무엇을 할지 아직 정하지 못했어요.

확인하기 정답

① 누가 파티에 올지 아직 모르겠어요.

<ruby>誰<rt>だれ</rt></ruby>がパーティーに<ruby>来<rt>く</rt></ruby>るか、まだわかりません。

② 고국에 돌아가면 무엇을 할지 아직 정하지 못했어요.

<ruby>国<rt>くに</rt></ruby>に<ruby>帰<rt>かえ</rt></ruby>ったら<ruby>何<rt>なに</rt></ruby>をするか、まだ<ruby>決<rt>き</rt></ruby>めていません。

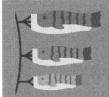

26 강
～終わる 다~하다

終わる를 사용해서 동작이 완료되다 라는 표현을
학습합니다.

1. 접속 방법

동사ます형 + 終^おわる

2. 단어

食^たべます 먹습니다　　　読^よみます 읽습니다

見^みます 봅니다　　　使^{つか}います 사용합니다

します 합니다

3. 예문

1) 家族^{かぞく}の中^{なか}ではいつもわたしが一番^{いちばん}に食^たべ終^おわる。

가족 중에서는 항상 내가 제일 먼저 먹는다.

家族の中ではいつもわたしが一番に食べ終わる。

169
JLPT N4 초중급 일본어 문법 28

2) この本は簡単なので、すぐに読み終わると思う。

이 책은 쉬워서 금방 다 읽을 거야.

---

3) 映画を見終わったら、宿題をします。

영화를 다 보고 나면 숙제를 합니다.

---

4) 辞書は使い終わったらすぐに返して下さい。

사전은 사용이 끝나면 바로 돌려주세요.

---

5) 掃除し終わったら次は洗濯をする。

청소를 마치면 다음에는 빨래를 할 거야.

---

6) アイロンをかけ終わったから、部屋に持っていって。

다림질 다 했으니까 방으로 가져가.

---

7) 今日の日記は書き終わるのに３０分かかった。

오늘 일기는 다 쓰는데 30 분 걸렸어.

8) 先生が話し終わったら質問しよう。

선생님이 얘기 다 하고 질문하자.

---

9) やっと N4 の漢字を勉強し終わった。

드디어 N4 한자를 다 공부했어.

---

10) このコーヒー飲み終わったら、散歩に行こう。

이 커피 다 마시고 산책하러 가자.

---

4. 회화

A : 今_{いま}から黒板_{こくばん}に漢字_{かんじ}を書_かきます。みなさん見_みてください。

B : はい。

A : では、漢字_{かんじ}を書_かきます。

（書_かく）

A : 今_{いま}、漢字_{かんじ}を書_かき終_おわりました。

A: 지금부터 칠판에 한자를 쓸게요. 여러분 잘 보세요.

B: 네.

A: 그럼 한자를 씁니다.

(쓴다)

A: 지금 한자를 다 썼어요.

5. 플러스 알파

① 終わる 끝나다

② 終える 끝내다

※ 終わる는 자동사로 '끝나다'로 해석하며, 終える 는
   타동사로 '끝내다'로 해석합니다.

└

6. 확인하기

① 이 책은 쉬워서 금방 다 읽을 거야.

___

② 다림질 다했으니까 방으로 가져가.

___

확인하기 정답

① 이 책은 쉬워서 금방 다 읽을 거야.

この本は簡単なので、すぐに読み終わると思う。

___

② 다림질 다했으니까 방으로 가져가.

アイロンをかけ終わったから、部屋に持っていって。

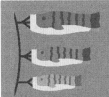

27강

～間に ~동안에

학습목표

間に를 사용해서 일정 기간 중에서 일어나는 일에
대한 표현을 학습합니다.

---

1. 접속 방법

동사 + 間に

이형용사 + 間に

나형용사 어간な + 間に

명사の + 間に

---

2. 단어

寝ます 잡니다　　作ります 만듭니다　　います 있습니다

浴びます (샤워를) 합니다　　住みます 거주합니다

夏休み 여름방학, 여름휴가　　留守 부재중

学生 학생　　独身 독신　　旅行 여행

175

3. 예문

1) 私が寝ている間に、父は仕事へ行きました。

제가 자는 동안 아버지는 일하러 가셨어요.

私が寝ている間に、父は仕事へ行きました。

2) 母がご飯を作っている間に、宿題を終わらせました。

어머니가 밥을 짓는 동안 숙제를 끝냈어요.

3) シャワーを浴びている間に、友達が来ました。

샤워를 하는 동안 친구가 왔어요.

4) 日本に住んでいる間に、富士山に登りたい。

일본에 사는 동안 후지산을 오르고 싶어.

5) 家にいる間に、荷物が届きました。

집에 있는 동안 짐이 도착했어요.

6) お客<ruby>客<rt>きゃく</rt></ruby>さんが<ruby>少<rt>すく</rt></ruby>ない<ruby>間<rt>あいだ</rt></ruby>に、<ruby>休憩<rt>きゅうけい</rt></ruby>を<ruby>取<rt>と</rt></ruby>りたい。

손님이 적은 동안 휴식을 취하고 싶어.

7) <ruby>祖父<rt>そふ</rt></ruby>が<ruby>元気<rt>げんき</rt></ruby>な<ruby>間<rt>あいだ</rt></ruby>に、<ruby>色々<rt>いろいろ</rt></ruby><ruby>話<rt>はなし</rt></ruby>を<ruby>聞<rt>き</rt></ruby>いておこう。

할아버지가 건강하신 동안에 여러 가지 이야기를 들어두자.

8) <ruby>夏休<rt>なつやす</rt></ruby>みの<ruby>間<rt>あいだ</rt></ruby>に<ruby>引<rt>ひ</rt></ruby>っ<ruby>越<rt>こ</rt></ruby>しを<ruby>終<rt>お</rt></ruby>わらせたい。

여름방학 동안 이사를 끝내고 싶어.

9) <ruby>独身<rt>どくしん</rt></ruby>の<ruby>間<rt>あいだ</rt></ruby>に<ruby>海外旅行<rt>かいがいりょこう</rt></ruby>に<ruby>行<rt>い</rt></ruby>きたい。

독신인 동안 해외여행을 가고 싶어.

10) <ruby>旅行<rt>りょこう</rt></ruby>の<ruby>間<rt>あいだ</rt></ruby>に<ruby>泥棒<rt>どろぼう</rt></ruby>に<ruby>入<rt>はい</rt></ruby>られた。

여행하는 동안 도둑이 들었어.

4. 회화

A：もうすぐ夏休(なつやす)みです。夏休(なつやす)みは7月(がつ)から8月(がつ)までです。み

なさんは夏休(なつやす)みに何(なに)をしますか。

B：夏休(なつやす)みの 間(あいだ) にキャンプをします。

C：夏休(なつやす)みの 間(あいだ) にJLPTの勉強(べんきょう)をします。

A: 이제 곧 여름방학이네요. 여름방학은 7월부터 8월까지예요.

여러분은 여름방학에 무엇을 할 거예요.

B: 여름방학 동안에 캠핑을 할 거예요.

C: 여름방학 동안에 JLPT 공부를 할 거예요.

5. 플러스 알파

「<ruby>間<rt>あいだ</rt></ruby>」 vs 「<ruby>間<rt>あいだ</rt></ruby> に」

① <ruby>寝<rt>ね</rt></ruby>ている <ruby>間<rt>あいだ</rt></ruby> 、ずっとテレビがついていた。

② <ruby>寝<rt>ね</rt></ruby>ている <ruby>間<rt>あいだ</rt></ruby> に、<ruby>地震<rt>じしん</rt></ruby>が<ruby>起<rt>お</rt></ruby>きた。

※ <ruby>間<rt>あいだ</rt></ruby> 는 일정 기간을 내내 일어나는 것을 나타내며, <ruby>間<rt>あいだ</rt></ruby> 에는 일정 기간 중에 어느 시점을 나타냅니다.

6. 확인하기

① 샤워를 하는 동안 친구가 왔어요.

_____

② 여름방학 동안 이사를 끝내고 싶어.

_____

확인하기 정답

① 샤워를 하는 동안 친구가 왔어요.

シャワーを浴びている間に、友達が来ました。

_____

② 여름방학 동안 이사를 끝내고 싶어.

夏休みの間に引っ越しを終わらせたい。

_____

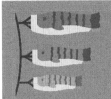

28 강

～間 ~동안 내내

학습목표

間를 사용해서 일정 기간 내내 일어나는 일에 대한 표현을 학습합니다.

1. 접속 방법

동사 + 間

이형용사 + 間

나형용사 어간な + 間

명사の + 間

2. 단어

<ruby>読<rt>よ</rt></ruby>みます 읽습니다	<ruby>待<rt>ま</rt></ruby>ちます 기다립니다
<ruby>食<rt>た</rt></ruby>べます 먹습니다	<ruby>乗<rt>の</rt></ruby>ります 승차합니다
います 있습니다	<ruby>休<rt>やす</rt></ruby>み 휴일, 휴가, 쉬는 시간

<ruby>試験<rt>しけん</rt></ruby> 시험　　<ruby>学生<rt>がくせい</rt></ruby> 학생　　<ruby>病気<rt>びょうき</rt></ruby> 병을 앓음

<ruby>旅行<rt>りょこう</rt></ruby> 여행

3. 예문

1) 新聞を読む 間 は、静かにして下さい。

신문을 읽는 동안은 조용히 해주세요.

新聞を読む間は、静かにして下さい。

2) 友達を待つ 間 、ゲームをしていました。

친구를 기다리는 동안 게임을 하고 있었어요.

---

3) ごはんを食べている 間 は、テレビを見ません。

밥을 먹는 동안에는 텔레비전을 보지 않습니다.

---

4) 電車に乗っている 間 、音楽を聞きます。

전철을 타는 동안 음악을 듣습니다.

---

5) カフェにいる 間 、日本語を勉強します。

카페에 있는 동안 일본어를 공부합니다.

---

6) 子供が小さい間は、なかなか夫婦での外出ができなかった。

아이가 어렸을 때는 좀처럼 부부 외출을 할 수 없었어.

---

7) 元気な間は仕事を続けたいと考えている。

건강한 동안은 일을 계속하고 싶다고 생각하고 있어.

---

8) 学生の間は、コンビニでアルバイトをしていました。

학생인 동안에는 편의점에서 아르바이트를 했습니다.

---

9) 病気の間は、彼女がご飯を作ってくれました。

아픈 동안에는 그녀가 밥을 해 주었어요.

---

10) 旅行の間、ずっと雨が降っていました。

여행 내내 비가 내렸어요.

---

4. 회화 ①

A : みなさん、うちから<ruby>学校<rt>がっこう</rt></ruby>まで<ruby>電車<rt>でんしゃ</rt></ruby>で<ruby>来<rt>き</rt></ruby>ますか、それともバスで<ruby>来<rt>き</rt></ruby>ますか。

B : <ruby>電車<rt>でんしゃ</rt></ruby>で<ruby>来<rt>き</rt></ruby>ます。

A : Bさんは<ruby>電車<rt>でんしゃ</rt></ruby>で<ruby>何<rt>なに</rt></ruby>をしますか。

B : <ruby>電車<rt>でんしゃ</rt></ruby>に<ruby>乗<rt>の</rt></ruby>っている<ruby>間<rt>あいだ</rt></ruby>、<ruby>音楽<rt>おんがく</rt></ruby>を<ruby>聴<rt>き</rt></ruby>きます。

A : Cさんは、<ruby>電車<rt>でんしゃ</rt></ruby>で<ruby>何<rt>なに</rt></ruby>をしますか。

C : <ruby>電車<rt>でんしゃ</rt></ruby>に<ruby>乗<rt>の</rt></ruby>っている<ruby>間<rt>あいだ</rt></ruby>、ゲームをします。

A: 여러분, 집에서 학교까지 전철로 오나요? 아니면 버스로 오나요?

B: 전철로 와요.

A: B 씨는 전철에서 무엇을 하나요?

B: 전철을 타고 있는 동안, 음악을 들어요.

A: C 씨는 전철에서 무엇을 하나요?

C: 전철을 타고 있는 동안, 게임을 해요.

회화 ②

A : みなさんはいつ、どこで日本語を話しますか。

B : 授業の間、日本語を話します。

C : 僕はアルバイトでも話します。

A : Cさんは、アルバイトの間も、日本語を話しますね。

A: 여러분은 언제, 어디에서 일본어를 하나요?

B: 수업하는 동안, 일본어를 해요.

C: 저는 아르바이트에서도 해요.

A: C 씨는 아르바이트하는 동안에도 일본어를 하는군요.

5. 플러스 알파

「間」 vs 「間に」
（あいだ）　　　（あいだ）

① 日本にいる 間、富士山に登りたい。
（にほん）　　（あいだ）（ふじさん）（のぼ）

② 日本にいる 間 に、富士山に登りたい。
（にほん）　　　（あいだ）　（ふじさん）（のぼ）

※ 間 는 일정 기간을 내내 일어나는 것을 나타내며, 間 에는
（あいだ）　　　　　　　　　　　　　　　　　　　　　　（あいだ）
일정 기간 중에 어느 시점을 나타냅니다.

6. 확인하기

① 카페에 있는 동안 일본어를 공부합니다.

___

② 건강한 동안은 일을 계속하고 싶다고 생각하고 있어.

___

확인하기 정답

① 카페에 있는 동안 일본어를 공부합니다.

カフェにいる 間 、日本語を 勉 強 します。

___

② 건강한 동안은 일을 계속하고 싶다고 생각하고 있어.

元気な 間 は仕事を続けたいと 考 えている。

___

유리센 일본어 학습 자료 블로그

https://blog.naver.com/yurisen